LOS INVÁLIDOS

Claudia Marcucetti Pascoli

LOS INVÁLIDOS

EDITORIAL DIANA
MÉXICO

PRIMERA EDICIÓN, SEPTIEMBRE DE 2005

DERECHOS RESERVADOS
©

ISBN 968-13-4110-4

Diseño conceptual de cubierta:
GRADI DISEÑADORES. Juan Carlos Chávez Vázquez.
Diseño gráfico, fotografía y retoque electrónico de cubierta:
Miguel Ángel Domínguez Leal.
Fotografía de la autora: Adrián Burns.

Copyright © 2005, Claudia Marcucetti Pascoli.
Copyright © 2005, Editorial Diana, S.A. de C.V.
Arenal No. 24, Edif. Norte,
Ex Hacienda Guadalupe Chimalistac,
01050, México, D.F.
www.diana.com.mx

IMPRESO EN MÉXICO – PRINTED IN MEXICO

Agradecimientos

A Guillermo Samperio, mi maestro, por el amor que nos une: la literatura.

A Ruth Troeller, mi maestra, un ser humano superior, con toda mi admiración.

A Marco Marcucetti, mi padre, por el reencuentro con todo mi cariño.

A Guillermo Arriaga, mi escritor favorito, por alumbrar los momentos oscuros y, de paso, ensombrecer los claros.

A Guy Claret de la Touche, mi inspiración, cuyas generosas y ocurrentes aportaciones personales, no sólo hicieron posible este libro, sino que volvieron dolorosamente divertido el proceso de escribirlo.

A Victoria Clay, por ser mi amiga, la más sensible, talentosa y absoluta.

A Marie Pierre Colle, que en paz descanse, por compartirme la inspiradora vista de *Rue Fabert* 32.

A Diana Ramírez, por regalarme su confianza y por haber creído en mi vocación de escritora aun antes de que yo lo hiciera.

A Guillermo Vega y a Ricardo García, cuyo minucioso trabajo de revisión contribuyó enormemente al resultado final de esta novela.

A mis incansables correctoras: Gimena Garza, Connie Gómeziñigo, Amarilis Irigoyen, Marilú Pando, Maru Quijano, Ivonne Reyes, Olga Varela, Pupis Vázquezgomez y Norma Zapata, cuyos consejos han sido invaluables.

A Alejandra Alemán, Ana Cristina Cabezut, Emilio Cabrero, Marco Coello, Aldo Curzio, Paloma Fernández, Jesús Galván, José Ignacio Rubio, Leopoldo Soto e Ignacio Vega, por su lealtad, apoyo y cariño de siempre.

A todos los amigos que me hospedaron y me consintieron durante mis viajes y que, a la vez, me han inspirado: Pedro Balbeck, Simona Del Fabbro y familia, Marielle De Spa y Geraud Lecerf, Sandra García San Juan y familia, Herta Lans, Mazarine Pingeot y Mohamed Ulad-Mohand, Chunga y Bichi, Clelia y José Antonio Ruiz-Berdejo, Elías Sacal, Christian Voelkers.

A Doris Bravo, mi editora, por su paciencia y consideración.

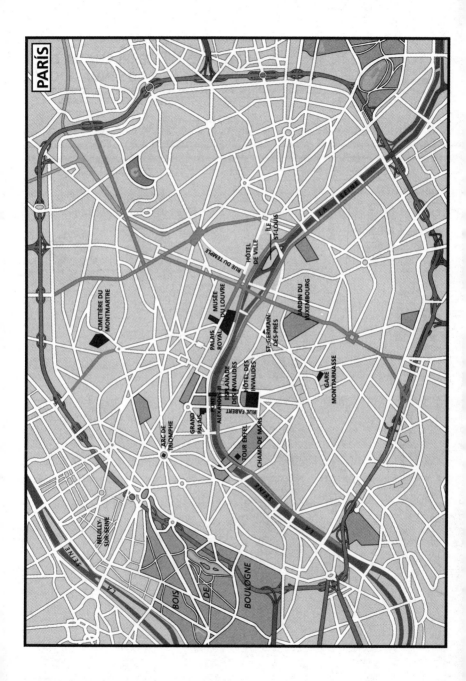

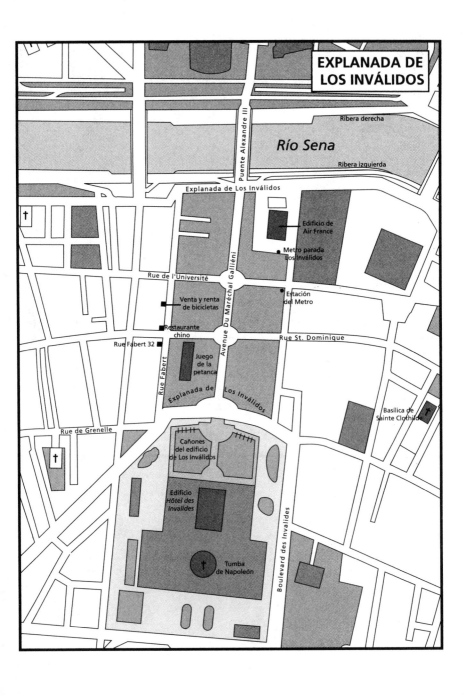

EXPLANADA DE LOS INVÁLIDOS

Ribera derecha

Río Sena

Ribera izquierda

Puente Alexandre III

Explanada de Los Inválidos

Edificio de Air France

Metro parada Los Inválidos

Rue de l'Université

Avenue Du Maréchal Galliéni

Estación del Metro

Venta y renta de bicicletas

Restaurante chino

Rue Fabert 32

Rue St. Dominique

Rue Fabert

Juego de la petanca

Explanada de Los Inválidos

Basílica de Sainte Clothilde

Rue de Grenelle

Cañones del edificio de Los Inválidos

Edificio *Hôtel des invalides*

Boulevard des Invalides

Tumba de Napoleón

*Lo que ahora se comprueba, alguna vez
solamente fue imaginado.*

Lo que es posible de creer es una imagen de verdad.

*Si las puertas de la percepción se limpiaran, todo le aparecería al hombre
como es, infinito.*

***Las bodas del cielo y el infierno,* William Blake**

Índice

Los Inválidos

Del Hospital del Condado de York informan que la Duquesa viuda de
Grafton, que se rompió una pierna el domingo último,
pasó ayer un día bastante bueno.
The Sunday Times, Londres

Rayuela, **Julio Cortázar**

I

El día que me amarró

28 de agosto, 2002

Mis nalgas desnudas a pelo sobre la alfombra, los dientes mordiendo un pañuelo de lino bordado con sus iniciales, las manos esposadas al tubo del radiador, y yo, en lugar de ver cómo salvarme, escribo mentalmente estas palabras.

Desde que oscureció perdí el sentido del tiempo, la noción donde una hora se mide por minutos y éstos no duran más que un instante. Moriré descuartizada, como Diana, víctima del *serial killer*. Seré una mujer de Balzac, el asesino. Escritores asesinos: matan a las personas para crear personajes. Vísceras al microscopio, diseccionan la mente, envasan los sentimientos para untarlos en sus escritos. Me hubiera gustado ser uno de ellos. Asesinar a discreción, revivir a quien me plazca, entender la entraña humana, tener algo real que decirle al mundo, o por lo menos a una persona. Hubiera bastado un solo ser con quien poderme comunicar.

Restriego la espalda contra el radiador. Si tan sólo pudiera sobarme, apaciguar el dolor que me tortura, pero el daño viene de una zona que no alcanzo a tocar. Hago un esfuerzo con el estómago, me cuelgo de las esposas que se ensañan con mis muñecas y, al fin, me pongo de pie. La luz de la calle ilumina el departamento, casi me deslumbra, y formas conocidas me acechan. Miro la Plaza de los Inválidos. París me escudriña por la ventana y se desentiende de mí. Me muevo en mi reducido cautiverio y mi cara se refleja en el cristal convertido en espejo. Las arrugas, que tanto me he empeñado en llamar líneas de expresión, doblegan mi piel. El lado positivo: morir ahora me evita convertirme en una vieja. Pero, ¿y lo demás?, ¿qué pasó con los padres que no amé, los amores que no me quisieron, los que no quise, los hijos que no tuve? Nadie me extrañará. ¿Y los tantos libros que me faltaron leer? Qué sucederá con mi novela inconclusa? Será tirada a la basura junto con mi colección de zapatos y mi vibrador. Vaya legado: unos escritos disléxicos y un cúmulo de frivolidades inútiles. ¿Por qué le puse tanta distancia a los demás?

Incapacidad emocional. Irónica coincidencia: soy "una inválida en Los Inválidos". Suena a título de novela. Proust y sus paraísos perdidos. Los mejores paraísos son los que no viví, no los pasados, que me joden con su melancolía, sino los que están por delante; los que un día, como sueños hechos realidad, hubiera podido tocar. Tengo nostalgia del futuro, de lo que no vendrá, de no sé qué.

Maldita costumbre de vivir *como si...*, como si lo eterno fuera soportable, como si la verdad resultara necesaria, como si la muerte no pudiera llegar en cualquier momento, ¿Por qué desprecié los sermones de Kierkegaard, los de mi maestra de filosofía y hasta los de mi madre, que era experta en sermonear?

Tanto pensar me cansa. No me extraña: el cerebro es débil, tan blando que necesita de una caja protectora. Además, ni siquiera admite que el poder que se le atribuye se lo haya dado él mismo. No confío en mis razonamientos, ¿serán míos?, son tan obvios: se agitan, se enredan, se esconden, y regresan a mi neurosis implacables. Pura contradicción.

Mi desnudez tiene frío. Quisiera acostarme, más bien desaparecer. Estoy congelada en pleno mes de agosto. Nada es lo que es. Me dejo caer, para sentarme de nuevo en el piso, los brazos levantados, las manos amarradas a estos malditos tubos. Apoyo mi cabeza de lado contra la pared y me ovillo en posición fetal. Cierro los ojos. Estoy a punto de dormir cuando un pensamiento me sobresalta. ¿Y el juicio? Desde las clases de catecismo, vivo amenazada: el perdón, el pecado, el castigo. He sido castigada y aún no conozco la serenidad. No, por eso no me voy a preocupar; sé que si hay algo en la muerte es el paraíso. Sí, un inmenso paraíso accesible a todos. No puede haber otro infierno. El infierno se enquista en los sesos, en esa materia deforme que obliga a pensar, a sufrir. Sólo puede ser así.

Oigo el giro de la cerradura. Mi verdugo ha llegado. Con dificultad me levanto; en el sitio donde estaba apoyado mi sexo hay una mancha de orina o restos de excitación. No sé. Tengo miedo al dolor. Le rogaré que me ahorre el desmayo frente al cuchillo; voy a pedirle un somnífero. Intento hablar, olvidando mi boca amordazada, los músculos de la mandíbula me punzan adoloridos y la saliva se impregna a la tela. ¿Cómo llegué a este momento? ¿A este sitio? ¿A esta vida?

PRIMERA PARTE
La nada

Sólo algunos llegan a nada, porque el trayecto es largo.
Voces reunidas, **Antonio Porchia**

Nada separa un instante de otro, pero en esa nada puedes
cambiar tu vida.
L'être et le néant, **Jean Paul Sartre**

El viento, la nada que lo es todo.
Jacal del pirata Serafín, **Tarifa, España**

II

El día que llegué a París
2 de mayo, 2002

Al otro lado del océano se quedaron mis pertenencias: un torero, mi amor que me dejó por otra; mi madre, que falleció antes de cumplir sesenta años, y la juventud, a la que desprecié hasta el comienzo de su fin. Un pesado cargamento emocional que se encontraba en México, a kilómetros de distancia.

"Fuga geográfica", la llamó mi psicoanalista. Convencido de la imposibilidad de mi sobrevivencia sin sus cuidados, tuvo la precaución de recetarme ansiolíticos suficientes como para narcotizar a una vaca. Debo admitir que mi peso ya era bastante cercano al de este animal y me causó tristeza constatar que las previsiones de un supuesto aliado sobre mi viaje fueran tan trágicas.

La idea de mudarme de continente se había apoderado de mí y veía un período sabático, con el propósito de tomar un curso de literatura y trabajar en el libro que intentaba escribir, como una providencial balsa a mi rescate.

Al justificar mi partida, usé incluso el verbo "distraerme", como si esa acción, cuyo significado real normalmente me molestaba, consistiera ahora en una repentina necesidad. Así que, apenas terminado el papeleo de la herencia de mi madre, ya estaba en el aeropuerto *Charles de Gaulle*, bebiendo distraídamente agua embotellada, mientras aguardaba el único equipaje que pretendía desembarcar. Tan lejos de mis recuerdos, comenzaba a sentir un ligero alivio. No duró mucho.

—¿Cómo pudieron extraviar mis maletas, si volé *non-stop* México-París? —interrogué frenética, ante la acompasada cordialidad del encargado de *Air France*.

—Hay una cumbre de mandatarios en la ciudad y las medidas antiterroristas han ocasionado cierto desorden...

Imprequé en voz baja y, sin fuerzas, me dispuse a llenar el formulario de reclamación, tan fidedignamente como mi *jet lag* me lo permitió.

El extravío de mis maletas, más allá de la molestia, me concedía la nefasta posibilidad de pensar en bagajes menos materiales. La imagen de mi torero pendulaba frente a mí borrosa, la de mi madre, omnipresente y dibujada en nítidos trazos, me susurraba regaños al oído.

Salí al encuentro del cartel, con mi apellido escrito en caracteres cúbicos, y de la mujer que lo llevaba en las manos. La representante de la agencia inmobiliaria me veía detrás de unos lentes de armazón ligera, indicándome el camino hacia su automóvil.

En el intercambio de obligadas impresiones, le expliqué, en mi francés algo oxidado, la pérdida de mi equipaje. Ya en marcha, me dijo cuánto lo lamentaba, y me previno que ella sí tenía una buena noticia que darme. A causa de una deplorable confusión ocurrida en su agencia, el departamento que renté por medio del internet había sido arrendado por partida doble y alguien más lo estaba ocupando. Por este descuido, la generosa empresa me daba lo que la mujer llamó "una extraordinaria compensación": por el mismo precio iba a tener una "magnífica" residencia, nunca antes rentada, el doble de grande que la prometida, con ubicación en el séptimo distrito y vista a la Explanada de los Inválidos.

Enmudecí. Apenas pude retomar aire me lancé sin piedad sobre la anteojuda. Después de tacharla de incompetente, propinarle varios insultos y ser vencida por su impasibilidad, no vi más remedio que negociar algún tipo de compromiso:

—Usted representa a una agencia especializada en la *Île Saint Louis*,[1] por lo menos consígame otro sitio en la isla. Ver el Sena es imprescindible para mi inspiración.

Mi contrincante se acomodó las gafas:

—Le pido una disculpa por este malentendido, pero le informo que el único departamento disponible es el que le estoy ofreciendo. De no tomarlo, tendremos que reembolsarle su depósito y cancelar el contrato. Antes de que deci-

---

[1] Isla de San Luis: isla en el Sena, en el centro de París.

da le recuerdo que estamos en plena semana de la moda, el show del automóvil comienza mañana, y el de los aviones se inauguró ayer. Dudo que siquiera encuentre un cuarto de hotel, mucho menos un departamento en la modalidad de corta durada* —hizo una pausa y continuó casi con dulzura—: Al menos, acepte visitar Los Inválidos.

Eran las diez de la mañana de un día que había comenzado muchas horas antes. El cansancio y la resignación me hicieron asentir.

Proseguimos el trayecto automovilístico en silencio. Abrí el espejo de la guantera superior y encontré mis ojos tristes, enmarcados por un cabello baboso de tan lacio, eterna víctima de los champús aclarantes que mi madre me ponía desde niña. Entonces, oí una voz llena de tristeza aullar desde el radio del auto: *"Dicen que por la noche nomás se le iba en puro llorar..."* Sin palabras, señalé el estéreo y mi acompañante sonrió conciliadora:

—Es el tema de *Hable con ella*, la última película de Almodóvar.

—¿La de toreros y muertas? —pregunté, sintiéndome muy débil.

—¡Exactamente! Es magnífica. ¿Ya la vio? —dijo con entusiasmo, aunado a esa obsesión fílmica tan característica de los franceses.

Había leído la crítica en una revista. Pensé en mi madre muerta, en mi amor cornado y tuve ganas de contestarle:

---

* Alquiler de vivienda por temporadas menores a un año.

"Sí, en vivo y a todo color". Parecía que también en Francia los matadores y los cadáveres que hablan estaban de moda. Mi expresión debió oscurecerse porque llegamos al 32 de la *Rue Fabert* sin dirigirnos la palabra, mientras yo escuchaba la música dispararle a mi olvido. El edificio al cual nos introdujimos era una anónima construcción modernista de vanos desnudos, cornisas lineales y sin una pizca del encanto de la tradicional arquitectura parisina.

III

Viernes de invasión
3 de mayo, 2002

El interior del departamento era estupendo. Siete ventanas me separaban de la explanada más impresionante y monumental que hubiera visto hasta entonces. En el salón, una de éstas, la cuadrada, rompía la monotonía de los otros seis idénticos ventanales de piso a techo, con todo y balcón: tres en la sala y otros tres en la recámara principal. Esta última habitación era una especie de suite muy amplia, con estudio, un pequeño escritorio adosado a la surtida biblioteca, clóset-vestidor y baño con tina integrados. La vista abarcaba desde el *Hôtel des Invalides*[2] hasta perderse en Montmartre, pasando por todas las mansardas circundantes. Me hacía falta el Sena, que olía sin ver, pero procuré ignorar lo que echaba de menos. Había comenzado a entender mi predisposición a no encontrar sosiego en ninguna parte; la con-

---

[2]Edificio de Los Inválidos, es el antiguo hospital y hospicio, fundado por Louis XIV, donde se acogía a los inválidos de guerra. Actualmente alberga también el Museo de las Armas, donde está la tumba de Napoleón.

dena de vivir con un eterno sentimiento de pérdida, si no de alguien, por lo menos de algo.

Mi primer día del otro lado del océano transcurrió sin equipaje que desempacar, ni recuerdos que envolver, ni ganas de escribir. Avisé a *Air France* de mi cambio de domicilio y evité llamar a Alex, una amistad intermitente a quien no veía desde hacía casi un año y con quien sostenía una de esas relaciones amorfas y atemporales, con la que siempre acababa consolando mis desamores. Aburrida de él y de mi pasado, preferí emplear el tiempo descubriendo el departamento: el papel tapiz de flores color durazno de la recámara; la elegante cómoda en palo de rosa de principios del siglo XX en el salón; el baúl de caoba y costuras de hierro, cerrado y sin llave que lo abriera, a los pies de mi cama; o las sillas rústicas verde menta del comedor. El estilo de la decoración era tan ecléctico que lo identifiqué con mi personalidad, donde convivían el yo más apasionado con el más apático; los razonamientos más caóticos con el orden más obsesivo. El departamento, en definitiva, me agradaba.

El segundo día me despertó una llamada telefónica de la aerolínea francesa. Habían recuperado una de mis cuatro maletas y me la iban a mandar en el transcurso de la mañana. Era muy temprano y no tuve ganas de preguntar por las otras tres. No pude volver a dormir. Me levanté y corrí las cortinas. Caía una lluvia tupida. Me dio frío, más por la ansiedad que por la baja temperatura. Al fin estaba sola:

en el departamento, en París, sola en la vida. ¿En cuánto tiempo hallarían mi cuerpo en caso de que decidiera suicidarme? Calculé que no menos de una semana. Cerré los ojos por un momento, luego recorrí la plaza con la mirada. Me percaté de que no había ni un vehículo estacionado, ni gente pasando, tan sólo se distinguían a lo lejos unas vallas de acero, casi imperceptibles.

Recordé uno de mis juegos de niña. Consistía en imaginar algún sitio concurrido y despojarlo de toda presencia humana. Durante la psicoterapia salió a relucir que desde pequeña buscaba un lugar en donde la posibilidad de abandono quedara controlada. Para comprobarlo estaban mis recurrencias: mi propensión a la soledad y al fracaso de cualquier relación que intentaba emprender. Según el *shrink*, alias mi celador mental, tenía fallas emocionales graves: carecía de capacidad de entrega profunda. Yo alegaba que sólo sufría —además del vicio de los escritores: el exceso de fantasía que me impedía vivir una realidad— el mal de mi generación: la falta de compromiso.

Las once. Me asomé de nuevo a la plaza. A ambos lados de la avenida unos uniformados en posición marcial de piernas abiertas y brazos cruzados hacían guardia en silencio, uno en cada farol. Encima de la cúpula, sobre la tumba de Napoleón, se encontraba ahora, casi inmóvil, un helicóptero que parecía proteger el puente *Alexandre III*. En dirección contraria, justo sobre esta resplandeciente estructura, apareció otro helicóptero.

Dos jóvenes de tez morena y rasgos árabes brincaron una de las vallas, corriendo hacia el centro de la plaza. Varios policías los cazaron, tumbándolos al suelo, para después arrastrarlos fuera de mi vista. Me alarmé. ¿Qué estaba pasando? Encendí la radio para oír las noticias.

De pronto surgió, desde el *Boulevard des Invalides*, un convoy militar: cuatro motos, dos autos, otras motos, más autos y, al fin, una berlina negra, con una bandera minúscula a cada lado del cofre. En eso, el noticiero anunció lacónico la visita del presidente de los Estados Unidos de Norteamérica a la capital francesa.

Tranquilizada, sin saber si debía estarlo, decidí vestirme con la única ropa de que disponía y bajar a hacer las compras más indispensables. Al abrir encontré, apoyadas contra la puerta, dos pilas de libros. Empujé algunos ejemplares, pero eran muy pesados y no pude desplazarlos lo suficiente como para lograr salir. Desesperada, pedí auxilio.

—¿Qué pasa aquí? —grité, con evidente mal humor—. ¿Alguien me escucha?

Un hombrecito de cara compungida, que apenas alcanzaba a ver tras una vieja edición de *Las mil y una noches*, acudió a mis gritos repitiendo "*Desolé*", una y otra vez.

—Me dijeron que su departamento estaba vacío y que podía usar el pasillo —dijo, moviendo los libros para abrirme paso.

—¿Es usted el vecino?

—No. Me contrataron... —me explicó, tendiéndome la mano.

·Finalmente pude brincar al pasillo que estaba atestado de las más diversas publicaciones. Sorprendida por ese imprevisto, sólo atiné a preguntar:

—¿Qué está haciendo? Si se puede saber...

—Reclasificando la biblioteca —contestó, acomodándose los cubremangas trasparentes. Después de lo cual dio por terminada la conversación y se alejó apurado.

Esquivé varias torres de libros hasta llegar al elevador. Una vez en la calle, me sentí incómoda, como si deseara volver a mi refugio, tapiar la puerta y no irme de allí nunca más. Compré una *baguette* y pan dulce en la *boulangerie* más cercana, mientras escuchaba los comentarios de la gente y los pitazos de los coches. Un anciana comparaba el escenario recién vivido con la triunfal entrada de Hitler a París. Afuera, un joven discutía con un gendarme acerca de una multa, por circular, a causa del tráfico, en sentido contrario. Comprendí entonces la paradoja que acababa de presenciar desde la ventana: en tres minutos, *monsieur* Bush, sin pena y con mucha gloria, había cruzado la Plaza. La *Police National*, en cambio, con bastante pena y sin ninguna gloria, aún no lograba normalizar el tráfico, ni restaurar el humor de los parisinos, molestos por la llamativa intrusión.

Yo también me sentía invadida, no por un gringo inoportuno, ni por las montañas de libros que habían aparecido frente a mi puerta, sino por una enorme soledad. Inclemente, me recorría el pensamiento, al igual que el dolor invade un cuerpo herido.

Emprendí el regreso al departamento. En el camino, en el número 40 de la *Rue Fabert* para ser exactos, encontré una tienda de artículos deportivos y decidí comprar una bicicleta. Al salir de allí, mientras empujaba mi nueva adquisición, fui ceremoniosamente saludada por un oriental que hallé sentado afuera del restaurante chino de la esquina.

Estacioné mi vehículo en el patio trasero y subí al quinto piso. El pasillo ya se encontraba vacío. La puerta de mi único vecino estaba cerrada y no se oía ruido alguno. Entré a mi nuevo hogar y, al llegar a la recámara, me quité el pantalón que me apretaba para mirarme en el espejo. Una especie de pellejo desbordado rodeaba mi cintura. ¿Por qué engordo solamente donde no me hace falta? ¿No podría crecerme el busto, por ejemplo? Calibrando lo inútil de mi deseo fui a recostarme en la sala, a ver televisión. Al *zappear* los canales, cuando estaba a punto de escoger una película que ya había empezado, oí, justo encima de mi cabeza, un golpeteo que se hacía cada vez más intenso. Apagué el aparato y al ruido le siguieron voces, una masculina y otra femenina, que provenían de la ventana abierta de la cocineta. Fui hacia allá a escuchar los gemidos de placer, que fueron arreciando hasta llegar a una intensidad tal que comenzaron a parecerme demasiado expresivos para ser sinceros.

—*Oh, oui! Mon cul! Leche-moi! Encore! Encore! Frappes moi! Oh, oui... Ce ça. Ahh! Ahh! J'adoorrre!*[3]

---

[3] ¡Oh, sí! ¡Mi culo! ¡Lámeme! ¡Más! ¡Más! ¡Pégame! Oh, sí... Así. ¡Ahh! ¡Ahh! ¡Me encaaaanta!

En cualquier otra ocasión me hubiera excitado; ahora, en cambio, aquella justa erótica sólo provocó que llamara a Alex, el refugio de mis aflicciones. Por fortuna no lo encontré. Me abstuve de dejar mensaje y también de masturbarme.

IV

Vecinos distantes
10 de mayo, 2002

La vi por primera vez hace dos días. Me ayudó a meter la bicicleta al área de servicio. Subimos juntas al elevador.

—Me llamo Diana Hofburg —dijo en un francés correcto, aunque plagado de reminiscencias sajonas.

—Bárbara de Banlievre, del 502 —contesté. Diana honraba su nombre de diosa griega: parecía una Venus de Milo con todo y brazos.

—Soy su vecina de piso. ¿Acaba de mudarse? —inquirió, mostrándome una dentadura perfecta.

—Llevo casi una semana.

Conque ésta era la vecina, me dije, pero no consideré necesario preguntar sobre el asunto de los libros; se me hizo evidente que no estaba enterada de mi presencia.

—Pues yo llegué hace cinco meses. Soy austriaca y trabajo en mi embajada. Es un gusto conocerla —dijo tendiéndome la mano—. ¿Y usted? —continuó.

Ante la cantidad de detalles que me había concedido, tan atípica en las conversaciones entre parisinos, me sentí invitada a hacer lo mismo.

—Soy mexicana. Bueno, en realidad francesa. Nací en París, pero crecí en México, aunque estudié en los Estados Unidos, de padre francés y madre mexicana —el tema de mi origen siempre me provocaba confusiones.

—Ah, entonces regresó a vivir a su país natal.

—No exactamente; aún no sé cuánto tiempo me quedaré. Intento escribir... un libro —expliqué, tratando de sonar más convencida de lo que estaba.

—Maravilloso. Para los escritores siempre existe París —no supe si se estaba burlando y antes de que pudiera averiguarlo continuó afable—: Soy agregada cultural y mi pasión es la literatura. En especial modo la filología. Tengo una maestría en esa materia. ¿De qué trata su libro?

—Es... es un análisis... de algunas teorías aristotélicas —mentí, pero ¿qué podía hacer? Me tomó desprevenida y Diana era un ejemplar de la especie que tanto me acomplejaba: cuando mucho 25 años, deliciosamente anoréxica y, para colmo, inteligente. En cambio yo, con casi diez años más que ella, me sentía más vieja que nunca, gorda y, muy a menudo, estúpida. Me avergonzó tener que explicarle que mis escritos vagaban aún en lo indefinido. Confesar que después de mi primera publicación, un compendio de cuentos, tenía dificultades hasta para escribir la lista del súper. No podía decirle a una desconocida que mi presuntuosa esperanza de publicar una novela era lo único que alentaba mi creatividad y que, efectivamente, caía en el cliché de haber venido a París para inspirarme.

—Interesante... —repitió un poco sorprendida y, con destreza diplomática, cambió de tema—: Mi novio es escritor, tal vez lo conozca. Se llama Yves de Hermonville.

Me pareció oírla pronunciar esa frase con un dejo de admiración en la voz. Nunca antes había oído ese nombre, así que mi rivalidad hacia Diana se disipó: tenía un galán, francés y escritor. Seguramente se trataba de uno de esos literatos tan insoportables como mediocres que abundan en el mundo intelectual, pensé escéptica.

—No tengo el gusto, pero espero conocerlo pronto —me apuré a cortar la conversación.

El interfón de mi casa estaba sonando. Contesté. *Air France* me traía el resto del equipaje extraviado. Con un gesto me despedí de la vecina. Después de todo, no deseaba hacer amistades nuevas, y mucho menos tan felices.

Sin embargo, Diana me había impresionado, más por su seguridad, su mirada aguda y el aplomo con que se desenvolvía, que por su descarada belleza. Ese sería nuestro único encuentro, en el cual no alcancé a imaginar los tantos enigmas que se escondían en ella.

En cuanto a los otros vecinos, en mi primera semana de estancia en *Rue Fabert* sólo me crucé con un anciano médico retirado y su enfermera. Me los topaba por las mañanas temprano, cuando salían a su paseo matutino (de seguro prescrito por algún colega) y yo regresaba de comprar el periódico. Ambos se mostraban tan impersonales conmigo que a diario tenía la impresión de verlos por primera vez. A la portera, en cambio, la saludaba ya con familiaridad. Era un pajarito diminuto de pelo blanco y acidez categórica. Sufría una enfermedad común entre los franceses: no importaba el esfuerzo que un extranjero hiciera por comunicarse en un más que llano francés, ella se empeñaba en contestar en un inglés inconsistente y absurdo. Aplastar el orgullo ajeno con una supuesta superioridad lingüística debía de ser su único gozo. Bueno, por lo menos ella hablaba (a veces de más), mientras que con su marido, el portero, no se podía sostener el más mínimo intercambio de palabras. Contestaba a cualquier pregunta con gruñidos indescifrables y sólo cuando lo sorprendí hablando a su gato, supe que no era sordomudo. A la portera fue a quien le pregunté por los fogosos vecinos del piso de arriba. Cortante, me respondió que en el techo sólo había *chambre de bonne*[4] en desuso.

Al firmar la recepción de mi equipaje, escribí la fecha: 10 de mayo, que en París era un común viernes de trabajo, tan distinto de la tarde de tráfico infernal que seguramente estaba viviendo la ciudad de México. Me alegré de que el Viejo Mundo no tuviera intención de distraerse de sus actividades diarias y festejé no tener a quien festejar.

---

[4]Cuartos de servicio, normalmente en la azotea de los edificios. Hoy, en muchos casos, han sido convertidos en departamentos.

Al llegar la noche, conseguí dormirme temprano, después de no haber escrito una sola línea, de haber comido varios *croissants* rellenos de mermelada de higo y de haber flirteado con el antidepresivo prescrito. Entonces me despertaron ruidos violentos provenientes del pasillo. Me asomé por la mirilla y vi, en la oscuridad del corredor, la silueta de alguien que tocaba abruptamente a la puerta de Diana. Al oír su farfullar, deduje que podía ser el tal Yves. Por un momento me preocupó lo que una mujer como Diana tenía que soportar para llevar algún tipo de vida en pareja. Regresé a mi cama, contenta de que estuviera vacía. Me puse unos tapones de cera en los oídos, tapé mis ojos con un antifaz y me prometí que no llamaría a Alex.

Ocurrió lo inexplicable: dormí plácidamente, por primera vez en mucho tiempo, y no desperté sino hasta ya muy entrada la mañana. Apenas vi la hora, me precipité rumbo al baño. Sólo unos instantes antes de salir tuve claro que no alcanzaría a presentarme al examen de admisión del curso de literatura en la Sorbona. Uno de los motivos de mi viaje a París acababa de evaporarse.

V

La petanca
25 de mayo, 2002

Esa mañana encontré un sobre bajo mi puerta. Tenía un tono gris sepia y unos ostentosos ribetes color púrpura. Después de ver en el reverso el nombre de Diana Hofburg impreso en letra de molde roja, lo abrí. Me pedía que fuera a su casa a las seis de esa misma tarde. No puso un teléfono a dónde llamarla y al tocar su timbre nadie contestó, así que garabateé en el mismo papel: "Allí estaré. Bárbara" y lo deslicé bajo su puerta. Al principio, recuerdo no haberle dado mucha importancia, pensé que se trataría de algún asunto relacionado con el edificio, el pago del agua, por ejemplo, o alguna otra cuestión doméstica.

Esa nota era mi primer contacto con el exterior en días. Se me iban las horas en el departamento, observando la explanada desde la distancia, como si esa lejanía me proporcionara algún tipo de protección. A un costado del escritorio donde intentaba escribir —en esas semanas tan sólo llené cestos de páginas-basura—, había un ventanal que me permitía ver la plaza. En medio del rectángulo de tierra arenosa y entre las triples hileras de árboles, estaban ellos.

Desde mi llegada los había visto y, a partir de ese momento, no tuve más remedio que considerarlos parte integral del paisaje. Serían unos treinta pero casi siempre se movían en grupitos de tres o cuatro. Aún no había podido identificar el ritmo de sus apariciones; a veces los encontraba de pie en la pista, a veces se escondían en el verde tal vez para descansar en la sombra. Los jugadores de petanca tiraban sus bolas para acercarse a la más pequeña, intentando desplazar las de sus rivales y, después de ejecutar sus tiros, esperaban pacientes su turno. Mientras tanto fumaban, sin dejar de estudiar los movimientos de sus adversarios y, cuando el juego concluía, se quedaban a platicar como inofensivos ciudadanos reunidos en un espacio público. Esta tribu de cabezas blancas me estorbaba.

Desde mi arribo a París me liberé de una de las preocupaciones que había agobiado mis mañanas en México: el arreglo personal. Al principio fue a causa del extravío de mis maletas, pero poco a poco fui tomándole gusto al no tener que pensar en cómo vestirme. Yo, que había pertenecido a ese grupo que renueva su guardarropa por lo menos dos veces al año, que pierde el equilibrio si no se cuelga de una bolsa de marca, era entonces cada día más indiferente a las apariencias. Comprensible, en parte, si añado que tampoco tenía ganas de salir. Lo raro es que en ese período empecé a interesarme en mi físico más que nunca. No como lo hubiera entendido hacía unos meses, cuando me mataba de hambre con dietas inhumanas para alcanzar, si no una figura esbelta, por lo menos una de proporción armoniosa. Ahora me cuidaba de una manera más simple, más primitiva. Había convertido mi cuerpo en algo similar a un parque de diversiones para un solo usuario: comía a mi antojo, tomaba interminables baños de tina, me ponía mascarillas y tratamientos, y me paseaba desnuda por toda la casa.

Por esta última manía y debido al inevitable contacto visual de mi departamento con la plaza, los jugadores de petanca me incomodaban. Hubiera podido cerrar las cortinas, es verdad, pero ¿por qué privarme de la vista? Cuando constaté que los intereses de mis vecinos estaban exclusivamente en sus esféricos juguetes sentí un cierto alivio. Sin embargo, justo ese día, tal vez acicateada por la belleza y la personalidad de Diana, no tardé en ceder a una especie de reto. De pronto, deseaba una mirada, aunque fuera de reojo, una mínima señal de reconocimiento. "No hay manera de distraerlos", me decía, caminando de manera cada vez más indecorosa frente a las ventanas, mientras justificaba mi comportamiento alegando la llegada de la primavera y del calor.

Me metí a la tina, accioné la regadera y mi mente volvió a Diana. Comencé a imaginar que tal vez su recado se debía a una razón distinta a una simple diligencia vecinal. No podía olvidar que la última vez que alguien se paró afuera de su departamento fue con intenciones de tumbarle la puerta. De seguro mi vecina había peleado con el novio y tal vez me quería confiar sus penas. Pero su pleito había sido hace semanas y, además, ¿por qué yo? A lo mejor no tenía amigas en París. No, ése no era motivo suficiente para confiarme su vida privada. Aunque Diana tuviera serios problemas con el escritor, ¿por qué contármelos? Al salir de la bañera, decidida a ser notada por los jugadores de petanca, seleccioné a una víctima entre ellos y seguí con la mirada sus tiros. Era un hombre de unos sesenta años, con largos cabellos grises recogidos en una coleta y la piel quemada por el sol. Podría haber sido uno de esos marineros que debió tener, en sus años mozos, una mujer en cada puerto. Esperé a que le tocara tirar y estuviera mirando en mi dirección, calibrando la distancia y la fuerza necesaria para el tiro perfecto. En el instante crucial del lanzamiento y en un acto de exhibicionismo impulsivo, salí al balcón desnuda. Con la piel de gallina y la vergüenza rozándome la carne, permanecí inmóvil como una estatua durante algunos minutos antes de que él se percatara de mi presencia. Finalmente, levantó la vista para esbozar una sonrisa y, con aplomo caballeresco, ejecutó su tiro con tanta concentración que obtuvo de sus espectadores incluso un aplauso.

Volví a la bañera, entre eufórica y frustrada. Me masturbé, dirigiendo el chisguete de agua caliente hacia el interior de mis piernas, primero a los muslos, luego al clítoris hinchado. En la tina vacía dejé que mi cuerpo se deslizara una y otra vez sobre la superficie esmaltada, hasta que la aridez húmeda de sus paredes se entibió un poco. Pensaba en Diana y en el marinero bronceado. Antes de que pudiera alcanzar el orgasmo, sonó el timbre; aún ansiosa, alcancé a envolverme en una toalla. Cuando abrí, nadie estaba detrás de la puerta; sólo un sobre idéntico al de esa mañana yacía en el piso. Corté la orilla con los dedos aún mojados y leí su contenido: Diana me pedía una disculpa por no poder asistir a nuestra cita. Así como estaba, toqué a su puerta. No hubo respuesta.

Ese día marcó el comienzo de mi obsesión por Diana y mi resignación ante los jugadores de petanca, por nuestra convivencia estéril. Supongo que ellos también se acostumbraron a verme pasear desnuda.

VI

La penúltima cena
14 de junio, 2002

Fue a causa de Diana, que nunca más me volvió a escribir, de los jugadores de petanca, a quienes no logré distraer, y de mi amiga Carolina, que estaba muy preocupada por mi "encierro", que accedí a organizar una cena en mi departamento. Carolina es mexicana, pero se cree francesa; se casó con un inglés que se cree escocés y ambos viven en París desde hace algunos años. Ella, hija de amistades de mi madre, fue mi compañera de clase en el Colegio Franco Mexicano y la considero desde entonces una de mis mejores amigas. Durante el convivio Carolina se enteró de que pretendía dejar inutilizado el boleto más apetecido de la escena social parisina: la invitación a la fiesta de una renombrada casa de alta costura en la sede del Partido Comunista. Una contradicción tan peculiar como era mi estado de ermitaña en plena ciudad. Yo, que había venido a París para inspirarme, ni escribía, ni salía de casa más que para comprar alimentos.

Carolina no comprendía por qué evitaba socializar.

—Ya tienes que dejarte ver —me repitió cuando trataba de convencerme de ir a ese evento—. Además, espera a que conozcas a Charles. Es un gran periodista: fue corresponsal de la BBC en Medio Oriente. Tendrá unos cuarenta años y es el soltero más perseguido de Londres. Esta presentación sí que me la vas a agradecer.

"Otro patético *blind-date*" pensé, mientras recorría la interminable lista de presentaciones de la cuales había sido víctima. Sin embargo estuve de acuerdo en que tal vez mi aislamiento se había prolongado demasiado.

Esa noche estábamos casi al completo: una pareja de anticuarios del *Carré Rive Gauche*[5] que había conocido el año anterior; Alex, mi consolador oficial a quien convoqué sólo para balancear los sexos de la mesa; Carolina con Andrew, su marido, y una joven primita de Carolina, que al terminar su carrera en México, vino a tomar un curso en el *Cordon Bleu*. Había invitado a Diana, la vecina, mediante una nota, que ni siquiera se dignó contestar. A diario tocaba a su puerta con la esperanza de verla y obtener alguna explicación acerca de su comportamiento: citarme, cancelarme y, ahora, evitarme.

El grupo estaba asomado a los balcones, disfrutando de la vista, y yo, que conseguía estar sola hasta en medio de la gente, pensaba en el amor. Oía el viento soplar y añoraba una pasión de las que a veces surgen sin aviso ni permiso.

---

[5] Asociación de anticuarios de la ribera izquierda del Sena.

—Ya llegó Charles —me interrumpió Carolina, indicándome el sujeto que bajaba de una bici, modelo sólo para conocedores, que acababa de estacionarse en un poste afuera del edificio. Antes de mi absurdo enamoramiento por el torero, con quien tenía tan poco en común, había anhelado que mi compañero de vida fuera capaz de compartir mis pequeñas manías. En París, una de ellas era no usar taxis, coches, ni metro: me desplazaba siempre que podía, sin importar la hora, el clima o la distancia, en bicicleta.

La esperanza se metió, junto con el aire, por la ventana. ¿Y si de veras fuera, como dicen por ahí, que cuando menos lo esperas "tu mitad" toca a la puerta? Fui a abrir.

—Buenas noches —me sonrió Charles.

—¡Muy buenas noches! —contesté emocionada.

Así fue como apareció mi ideal masculino. No muy alto, frente amplia, perfil viril, nariz importante, piel curtida, mirada aguda y voz profunda. Además, me traía macarrones de *Ladurée*, una de las mejores pastelerías de París, que eran mi debilidad. Traté de no dejarme arrebatar por su encanto físico ni por su fina gentileza, acostumbrada a encontrar detrás de esos atributos las más desagradables sorpresas.

La reunión transcurrió amena, pasando de los temas más cultos a los banales. Charles no hablaba mucho, pero cuando lo hacía, su aportación era brillante. Expresaba sus ideas con firmeza, apasionándose con la política, y aplicando siempre lo que me parecía una regla de sabios: "La gente pequeña habla de cosas; la mediocre, de personas; la interesante, de ideas". Resultado: me encantó.

A pesar de mi aparente desenvoltura, esa noche me descubrí bastante tímida. Pertenecía a esa tribu de víctimas de la globalización: hablaba cuatro idiomas, sin comunicarme realmente en ninguno; había crecido entre culturas distintas, sin llamar casa a ningún lugar, ni patria a ningún país, y en las cuestiones sociales era tan desadaptada que nunca sabía qué decir, ni cómo decirlo. A mitad del camino entre el *roast beef* y la *tarte tatin*, mientras continuaba esforzándome por seguir el ritmo de la conversación, Andrew, que pasó la mayor parte de la cena analizando el atentado del 11 de septiembre, sin dejar de asomarse ni un momento al escote de su prima política, interrumpió a Charles:

—No comprendo cómo puedes defender la postura de la Fallaci. Es una racista, vendida a los americanos.

—No estoy de acuerdo. Es una gran escritora que conoce bien el conflicto en Medio Oriente. ¿Has leído su novela *Inshallah*? —puntualizó Charles.

—Que sea lo que Dios quiera —intervine por primera vez, traduciendo el título del libro con el poco árabe que sabía, residuo de mi romance con Ahmed, un palestino con quien me apasioné justo antes de que se casara con su pariente asignada.

Me miró sonriendo y de allí en adelante, el resto de la mesa desapareció para nosotros dos. Terminamos hablando del amor. Le cité a Diótima, la única mujer que se pronuncia sobre el tema en el *Banquete* de Platón, y quien considera el amor como un intermedio entre lo mortal y lo inmortal; en una palabra, un demonio, y como tal, su función es servir de intérprete entre los dioses y los hombres, mantener la armonía entre la esfera humana y la divina, aproximando estas dos naturalezas distintas. Él no estuvo de acuerdo, su teoría al respecto era más simple: "El amor es tan sólo deseo de unidad", me dijo.

Tanto los anticuarios como Carolina y su marido se habían ido ya cuando nos dieron las tres de la madrugada en la cocina, recogiendo los trastos. Entonces oí una voz detrás de mí:

—Me encantaría verte mañana —me volví con una sonrisa, para ver que Charles se dirigía a la voluptuosa primita de mi amiga, quien no había abierto la boca en toda la noche.

"Mi hombre ideal" debió haber pensado que me sobraba uno que otro idioma y me faltaban bastantes tetas. A diferencia de otras veces, en las cuales hubiera considerado un suplemento de silicón urgente, en tan sólo un minuto lo convertí en uno de esos sapos que por fortuna ya ni intentaba besar.

Esa noche me acosté con Alex.

VII

Perros a paseo
15 de junio, 2002

Mi cama aún olía a sexo. La emanación agridulce de la mañana siguiente se confundía con el aroma a té oriental *Lapsang Souchong* y el olor de las sobras de la cena, en especial del *Camembert* que había olvidado afuera del refrigerador. Alex se había ido ya cuando me levanté a abrirle al filipino que me recomendó la portera, y que había llamado la noche anterior para que me ayudara con la limpieza. Aproveché que ya estaba de pie y me metí a bañar. Me sentía como una perra girando sobre sí misma sólo para morderse la cola. Mi angustia creció al pensar que durante mi arrebato con Alex, había imaginado a otro hombre, reviviendo a cada instante las noches de rancho en México; donde mi cuerpo se alejaba de la mente para acercarse a mi torero, ese individuo salvaje, de intelecto primario, con una única e invencible pasión: la fiesta brava.

Esa historia había comenzado en la Monumental Plaza México, cuando fui arrastrada a una función de beneficencia por un grupo de amigos, fieles seguidores de la temporada taurina, de ésos que hablan de verónicas y pases de pecho, como si el mundo tuviera la obligación de comprenderlos. Yo de toros no sabía ni quería saber nada. Estaba segura de que al eliminar la pomposa música y la extravagante vestimenta, ese espectáculo barbárico se reduciría a la puesta en escena de una muerte anunciada, donde dos animales se batían con excesivas ventajas para uno de ellos.

En el transcurso de esa corrida me propuse ser imparcial y, por una vez, darle espacio a otro *modus vivendi*. No tuve que hacer mucho para cambiar de parecer. Bastó que el torero se plantara en el centro de la plaza, ante la muchedumbre cómodamente sentada detrás de la barrera, mientras veía a un individuo actuar en su nombre. Durante el acecho del toro, que tensaba cada músculo de sus quinientos kilos de peso con el enfurecimiento de su encierro, el hombre continuó impasible, con las nalgas apretadas y el sexo fiero. Entonces aprecié el equilibrio en esa lucha, donde ambos protagonistas se mostraban dignos, respetuosos; cada uno, en el intento de sacarle la casta al otro, lucía la suya propia. Para cuando se quitó las zapatillas, arrodillándose frente al bicho y besándolo entre los cuernos antes de matarlo, estaba yo irremediablemente contagiada de esa pasión general por el héroe del ruedo. Más tarde inauguré mi romance sin sentido, donde yo era el animal que iba a perecer de una estocada, no sin antes disfrutar de una lenta y sensual faena.

Morir por una noche, lo volví a comprobar hoy, puede ser
extremadamente renovador, pero morirse a diario, eso sí es
cansado. Así que, una vez más, el error fue mío: pretendí
convertir un asunto temporal en permanente. Tal parecía
que un inevitable reloj biológico en busca de continuidad y
reproducción me regulaba, el mismo aparato burdo y primi-
tivo que tantas veces me había empujado a los brazos de Alex.

Al salir de la regadera fui a sentarme al escritorio para poner en blanco y negro mis congojas; si no podía trazar una
ficción, por lo menos aclararía mis ideas, pero los sucesos
del otro lado de la ventana me desconcentraron una vez
más. La hora de los perros estaba terminando. A diario había dos turnos donde los animales y sus dueños salían a la
explanada: el matutino, antes de ir al trabajo, y el vesperti-
no, antes o después de cenar. Se podía fácilmente intuir la
estrecha relación que existía entre amos y mascotas, su
compatibilidad, sus similitudes físicas y de carácter. Una elegante señora con impermeable rojo, igual al de su *yorki*, salía del edificio adjunto; una joven muy alta, tal vez modelo,
era arrastrada por un flaquísimo afgano; de tanto en tanto
unos enamorados dejaban de besarse para lanzarle una pelota a su labrador. Entonces, divisé a un pastor alemán
deambulando a diestra y siniestra, sin amo, ni correa, ni collar que lo identificara. Sonó el teléfono. Era Alex:

—¿Cómo amaneciste?

"Asqueada", hubiera sido la descripción más afín a mi estado de ánimo, pero me limité a contestar:

—Bien ¿y tú? ¿Qué tal el trabajo? —me apuré a continuar, sin desear en realidad respuesta alguna.

—El mercado abrió a la baja y... —me abrumó con complicadas explicaciones financieras. A cada uno de mis silencios, proseguía con más información indescifrable hasta que fue al punto—: ¿Qué planes tienes hoy?

—Voy a escribir todo el día.

—Bueno, si quieres cenar conmigo, márcame más tarde —me conocía bien y, ante mi indiferencia, sabía mantenerse al margen.

Resignada a mi inconstancia sentimental, continué observando al perro ermitaño que fue a tirarse bajo el sol. Últimamente me interesaban más los acontecimientos de la plaza que los de mi propia vida.

Colgué y, para confirmarle a Alex la veracidad de mi tarea literaria, me dispuse a garabatear apuntes sobre el funcionamiento del binomio amo-mascota. En mi improvisada teoría, la imposibilidad de abandono de una de las partes era el secreto del éxito, una fórmula aplicable entre los humanos; tal vez volver a la práctica del antiguo sistema de vinculación matrimonial arreglada, y obligatoriamente vitalicia, sería la solución a los desamores de la modernidad. A eso de la una de la tarde tomé un descanso para recalentar las sobras de la noche anterior. El mozo se había ido y el solitario perro seguía vagando sin destino. Tal vez estaba perdido, aunque ver a un animal abandonado en Francia no sólo es inusual sino casi imposible.

Ya se acercaba la hora de la cena y no tenía ninguna intención de llamar a Alex. Estaba perpleja: ¿cómo pretendía yo escribir una novela, donde un cierto grado de conocimiento en materia de interrelaciones es indispensable, si ni siquiera podía explicar la razón por la cual me acostaba con alguien? ¿Por qué había pretendido atarme a un torero que amaba ser libre? ¿Por qué abortaba ahora un romance con una persona cuyas afinidades, tanto en orígenes como en antecedentes de vida, de seguro simplificarían una relación?

Tal vez porque lo único con lo que me identificaba era con el perro sin dueño que seguía en la plaza. Al mirarlo pensé que a lo mejor también en París había uno que otro vagabundo en busca de cariño, de un amo. Iba a lanzarme a su rescate cuando el cuadrúpedo empezó a andar con trote firme por la banqueta, se paró en el semáforo, cruzó la calle y se detuvo ante el paso de un barbudo en bicicleta. El hombre le hizo una seña y esto bastó para que el perro, obediente, lo siguiera como en un acto rutinario.

Increíble. El pastor alemán estaba esperando a su dueño para regresar a casa juntos. La única solitaria que permanecía en Los Inválidos era yo.

En eso escuché pasos en el corredor. Con la esperanza de interceptar a Diana, me precipité hacia la puerta y, cuando la abrí, la suya se estaba cerrando. Fui a tocar el timbre, convencida de que ella se encontraba inmóvil detrás del umbral, disimulando su presencia.

—¿Diana? ¡Ábreme!

Silencio. No, no quería verme. Cuando iba de regreso a mi departamento vi una mancha oscura en el piso frente al elevador. Me arrodillé para observarla de cerca: me pareció que era sangre.

VIII

Y tú ¿qué lees?
2 de julio, 2002

Las posibilidades relacionadas con esa sangre podían ser muchas: desde el goteo de un jugoso filete de res, hasta un accidente casero, o algo más grave, como la violencia doméstica. Tal vez Yves le pegaba a Diana; ella había intentado decírmelo, él la descubrió y la golpeó hasta hacerla sangrar y ahora ella se avergonzaba de que yo la viera en esas condiciones, y por ello me evadía. Lo único cierto era que Diana, debido a quién sabe qué extrañas razones, me inspiraba.

En las últimas dos semanas no escuché ningún ruido en el departamento vecino. Había comenzado a trabajar en una historia de suspenso, cuyo tema era la desaparición de una mujer que era maltratada por su pareja. Había descrito a Diana, tanto en lo físico como en esas particularidades psicológicas que nunca podría comprobar, y que pasaba horas imaginándome. Pretendía dejarme llevar por ese personaje que, por algo, se había cruzado en mi camino.

Aunque el argumento de un posible crimen me parecía trillado, mi instinto me llevaba hacia allá: ¿no dicen que toda novela narra o un viaje o un crimen? La gran ventaja de este inicio creador era que había dejado de divagar y me estaba concentrando en un tema específico. Incluso abordaba el asunto con cierta pasión; leía novelas del género, estudiaba las técnicas del *thriller* en libros como *El simple arte de matar* de Raymond Chandler y, lo más importante, traía la pluma en la mano.

Mi reciente actividad sexual no era ajena a este impulso inventivo que ya en otras ocasiones había sido el estímulo de mis trabajos literarios. Además Alex era un buen amante; su sexo se acoplaba al mío con precisión milimétrica y, aunque durante nuestros encuentros pensaba en otro hombre, mi cuerpo vivía la satisfacción física, que poco a poco iba contagiando la mente.

Así transcurrió el tiempo hasta esa enésima mañana húmeda y lluviosa. Regresaba del cajero automático y de haber bebido un *jus d'orange pressé* en el café de la vuelta. Entré al elevador empapada y pulsé varias veces el botón con el número cinco. Un segundo antes de que las puertas del aparato se cerraran, apareció entre ellas un pie, abriéndolas lentamente. Un hombre de edad indefinida, flaco y de rasgos filosos apareció frente a mí. Tenía el mentón agudo, la nariz deforme, el pelo lacio, cortado en escuadra y amplias sienes, en una de las cuales se asomaba un lunar oscuro, a manera de código de barras. Vestía una combinación de camisa azul turquesa con cuello y puños raídos, pantalón de mezclilla clásico, un saco de lino rojo con ribetes en piel color verde militar y botones de hueso, que podría haber sido parte de un traje folclórico tirolés. Tenía el aspecto de un espantapájaros o, más bien, de un ave de mal agüero. Cargaba una bolsa amarilla de la librería *Galignani*, y estaba mojado, como yo. Al verme pronunció unas sílabas incomprensibles, al estilo del portero, con las cuales supongo que pretendía saludarme. Le contesté un "*Bonjour, ça va?*" y se subió al viaje.

—¿Qué piso? —continué cortésmente.

—Quinto.

Supuse de inmediato que sería el novio de la diosa errante, mi vecina, y la curiosidad le ganó, como siempre, a la discreción.

—Disculpe, ¿es usted Yves de...? Apenas recordaba su nombre desde el día aquel en que Diana me lo mencionara.

Me pareció que su rostro se iluminaba; a lo mejor pensó que lo había reconocido, pues ¿no es el deseo de cualquier escritor ser admirado por su público?

—Hermonville, Yves...

—¿Cómo está Diana? Hace mucho que no la veo —lo interrumpí, queriendo abollar un poco su ego profesional. Su expresión se endureció al murmurar:

—¿Diana? No sé de qué me habla...

El elevador había llegado al quinto piso e Yves me hizo un ademán para que saliera de la cabina. Aprovechó la interrupción para ignorar mi pregunta, volviéndose de repente muy amable:

—¿Lee usted a Paul Auster? —dijo, señalando *El libro de las ilusiones* que traía yo bajo el brazo.

—Sí... —balbucí, sin encontrar una explicación plausible a su respuesta sobre Diana.

—Si me lo permite... —dijo e introdujo la mano en la bolsa de plástico.

Para entonces mi desconfianza se había convertido en temor. No entendía por qué me había negado la existencia de su novia y ahora me preocupaba qué era lo que iba a sacar de la bolsa.

—¿Ya lo leyó? —dijo, mientras me enseñaba *The Invention of Solitude*, otro libro de Auster—. Para mí esta es su mejor obra.

—No —mentí sin pensarlo, tal vez como reacción al sentir mi propia soledad desvestida.

—Si lee en inglés, es suyo.

Quedé desconcertada y traté de recuperar la compostura. Le di las gracias, escudriñándolo de arriba abajo, mientras él buscaba las llaves en las bolsas de su saco. Yo estaba convencida de que no podría entrar, pues recordaba haberlo visto tocar desesperadamente a la puerta de Diana. Me equivoqué. Con el mismo llavero de cuarzo color rosa que usaba ella, abrió la cerradura y, desde el umbral de la puerta, pronunció un apurado "*Au revoir*".

Entré al departamento agitada; me preguntaba qué habría pasado entre Diana e Yves. Pero, sobre todo, ¿qué fue de ella? Traté de tranquilizarme. Tal vez estaba demasiado sugestionada por mi novela, que parecía encaminarse directo al crimen, y veía incógnitas por todas partes. Me acerqué al ventanal para tratar de distraerme, pero no pude interesarme en otro asunto que no fueran mis vecinos. Extrañamente me entraron ganas de salir. Había dejado de llover, así que decidí ir a buscar alguna pista a la librería que Yves frecuentaba. Al llegar a *Rue de Rivoli*, estacioné mi bici en el poste de la callecita lateral y entré a *Galignani*. Le pregunté a la cajera, casi en secreto, sintiéndome en el centro de una misión investigadora, si conocía a Yves de Hermonville. Me miró perpleja mientras me mostraba una pila de libros debajo de un foto-póster.

—Allí está su última obra. Si busca las anteriores, vaya al fondo con el señor de la computadora.

Tomé uno de los ejemplares que, según la etiqueta que lo envolvía, estaba en su quinta edición y tenía por título *La sieste assassinée*.[6] Mientras observaba los hirientes ojos azules de Yves, buscando algún indicio de una mente asesina, tal vez a causa de lo turbio de su mirada o la cruel prominencia de su nariz, la encontré plausible. Supuse que Yves podía haber maltratado a Diana, tal vez hasta de haberla matado o, por lo menos, que era capaz de hacerlo. Tragué saliva. A pesar de ello, creo que en ese momento mi sorpresa más grande no fue debida al enigma de Diana, sino a la fama de Yves, que evidentemente era un escritor reconoci-

---

[6] *La siesta asesinada* es un compendio de cuentos de Philippe Delerm.

do. Estaba tan desligada del acontecer literario contemporáneo, que ni siquiera lo imaginé. Me dirigí al módulo de información y a la mesa de novedades, con ánimo de ponerme al día. Escogí *Hell*, de Lolita Pille; *Robert des noms propres*, de Amélie Nothomb, y *Platform*, de Michel Houellebecq. De este último autor también me llevé *Les particules élémentaires*, pues el título me intrigó. Salí de la librería más confundida que cuando entré, cargando un pesado paquete que puse en la canasta posterior de mis dos ruedas, y que contenía, entre otros, los siete libros publicados por mi vecino. Camino a casa decidí dar el siguiente paso.

IX

Dios es esperanza
3 de julio, 2002

Con una sonrisa burlona, *madame* Graccard, la portera, me veía como si yo hubiera sido una nueva amante abandonada. La síntesis de sus explicaciones: *monsieur le Marquis de Hermonville* era el dueño del edificio donde nos encontrábamos, el cual formaba parte de su herencia familiar. Huérfano de padre y de madre, vivía la mayor parte del tiempo en un castillo que llevaba su nombre, sobre la carretera con su nombre, en el pueblo con su nombre, en Normandía. Además de ser un estupendo escritor, era miembro honorario de la *Academie Royale de la Langue et de la Littérature Françaises* y poseía una gran calidad humana, confirmada por su labor filantrópica: un hospicio entero en Argelia se beneficiaba con su bondad todos los meses. En lo referente a Diana, la portera no la recordaba con exactitud, pero lo atribuyó a que *monsieur* de Hermonville tenía muchos amigos y amigas (puso especial énfasis en esta última palabra), quienes lo visitaban a menudo.

¿De dónde había salido este personaje de novela rosa que, para colmo, vivía justo a mi lado? Después de esa entrevista, desistí incluso de continuar con mis investigaciones en la embajada de Austria; de pronto, el asunto me quedó claro. Probablemente el tal "Marqués" había tenido un romance pasajero con Diana, y cuando le pregunté a quemarropa por ella, prefirió ser discreto. De seguro se trataba de la clásica historia donde hay grandes diferencias en las percepciones de una misma realidad: una de las partes tiene una aventura de días y la otra una significativa relación —aunque sea en sus sueños— de meses, a veces hasta de años. Tal vez Diana había creído ser su novia y estar viviendo con él, mientras Yves estaba bastante menos comprometido que ella. Encontré, inclusive, una serie de explicaciones al individuo que tocó a la puerta la noche del 10 de mayo, que además nunca había visto de frente.

Después de un día tan ajetreado, me metí a la cama a leer uno de los primeros libros de Yves, *Les plaisirs minuscules*.[7] El tomo tenía una sobria cubierta color crema con un delgado marco azul marino, letras románicas y carecía de la foto del autor. Detalles típicos de los clásicos libros franceses que, con el orgullo de su estirpe, parecen no desear llamar la atención más que por las palabras que contienen. Procedí a la lectura. Era un compendio de cuentos cortos sobre los pequeños placeres, como *El primer sorbo de cerveza* —se-

---

[7] *Los placeres minúsculos*, referencia abreviada de otro libro de Philippe Delerm, cuyo título original es *Le première gorgée de bière et autres plaisirs minuscules* (*El primer sorbo de cerveza y otros placeres minúsculos*).

gún él el único que cuenta o, por lo menos, el que más se disfruta—, o *El periódico del desayuno,* donde el autor le descubría a sus lectores el paradójico lujo de poder enterarse del acontecer mundial en pacífica armonía, acompañado por un *croissant* y café. Su escrito denotaba mucha sensibilidad y, si aún tenía dudas de un posible maltrato a Diana —que no fuera emocional y sin malas intenciones—, tuve que considerarlo muy poco probable.

Cuando iba en el tercer cuento sonó el teléfono.

—Hola. ¿Qué haces?

—Leyendo, ¿y tú? —hay personas que tienen el tino de llamar en los momentos menos adecuados. Alex era una de ellas.

—Pensando en ti —¿sería que en cualquier momento que llamara iba a ser inoportuno?

—¿Y qué piensas? —en el fondo me halagaba su interés.

—Que me gustaría estar allí, contigo —estaba decidido a alcanzar la etapa más avanzada de nuestro *ménage* de pareja (bastante maltrecha por cierto).

—Hay una parte de ti que me encantaría que estuviera aquí —lo reté. Después de todo, el sexo telefónico era parte de nuestro repertorio.

—La tengo parada por ti —me conocía lo suficiente para no dejar escapar la oportunidad.

—Ponla en mi boca —su excitación me excitaba.

—¿Te gusta? —dijo con voz agitada.

—Me encanta —apenas pronuncié esta afirmación, el cuerpo del torero apareció a mi lado.

—Voy para allá.

—No —fui contundente.

—Dime qué sientes.

—Estoy empapada —lo estaba; mis dedos lubricaban los labios de mi sexo, mojándolos de placer.

—¿Estás desnuda?

—Traigo un *g-string*.

—¿Cómo es?

—Transparente.

—Quítatelo.

Por supuesto que no me iba a quitar la playera que usaba de pijama, ni los *boxers* de algodón con los que circulaba por la casa. Tan sólo quería darle un orgasmo y, tal vez, fingir uno para terminar pronto con la llamada. Pero después de una larga conversación *x-rated* me ganó la calentura y me masturbé con pulso rápido, exaltando mi respiración para que él se viniera simultáneamente conmigo. Nos despedimos apenas después de apaciguar nuestros cuerpos. Me dormí tan pronto colgamos.

Desperté a la mañana siguiente reflexionando sobre la desaparición de Diana, cuyo misterio me parecía ya tan sólo el producto de mi fantasía. Mi propósito más anhelado ahora era lograr que mi imaginación se desplegara en mi novela. Me senté a escribir con el ventanal abierto, dejando el aire fresco correr en el cuarto. Antes de comenzar mi tarea, me asomé al balcón y me llamó la atención un viejo *Jaguar* color verde, que intentaba estacionarse en un espacio en el que era evidente que no iba a caber. Me esperaba ver a una anciana despistada salir del auto, eso sí, vestida con un traje *Chanel* pasado de moda —si tal cosa es posible— y con unos guantes de piel de cabritilla perforados. La elegante señora terminaría por convencerse de que nunca iba a poder estacionarse allí. Pero el conductor no desistía.

Confieso que disfrutaba yo de la hazaña con regocijo malsano, pues el auto seguía y seguiría sin caber. En eso observé atónita cómo, a fuerza de maniobras precisas, la punta del automóvil llevó al coche que tenía delante, a tocar al de enfrente, entonces me percaté de que lo que había creído ineptitud al volante no era sino la habilidad de un experto. El *Jaguar* estaba estacionado y yo continuaba atenta a descubrir quién estaría al volante. Ahora le apostaba más a un joven adolescente, practicando peripecias propias de su edad.

Sorpresa. Un sacerdote bajó del auto. Mi vecina del piso de abajo, según me enteré entonces, la dueña del coche desplazado, también estaba viendo la escena desde su ventana y arremetió contra el cura con una sarta de insultos. A sus improperios él le ofreció una sonrisa y, como si eso tuviera alguna relación con las quejas, le gritó desde la calle: "No se preocupe, no me tardo". Después de digitar el código de acceso, entró al edificio sin más miramientos. Ya daba por concluida la historia cuando escuché que el elevador llegaba al vestíbulo de mi piso. Desde la mirilla de mi puerta, vi a la sotana negra tocar el timbre del departamento contiguo. Transcurrió un rato largo antes de que Yves abriera, después de lo cual saludó al religioso con dos besos, uno en cada mejilla.

Hasta la visita de un cura mañoso —¿pero qué cura no lo es un poco?— venía a confirmar la rectitud del vecino. Yo comenzaba a asustarme por otras razones. ¿Por qué Dios me ponía al lado de uno de esos hombres imposibles por los que normalmente acababa por sufrir?

X

Baño en Montmartre
11 de julio, 2002

Llevaba días sin oír al vecino. Lo vi meter un baúl —por cierto muy similar al que tenía en mi estancia— a la cajuela de un extraño coche, probablemente descontinuado, e irse. La portera lo había ayudado y despedido como fiel novia de pueblo para confesarme poco después que Yves se iba a retirar al campo el resto del verano, donde trabajaría en su siguiente libro. En cambio, de Alex había oído bastante. Estaba siempre a la carga con sus llamadas, su paciencia y su conmovedora disponibilidad. De vez en cuando le concedía entrevista, como el doctor que ve a un enfermo terminal, en parte por misericordia y en parte por el pago de la visita. Todo se habría podido resumir a la continuación de nuestro amorío sin principio ni final, si no hubiera sido por mis baños nocturnos.

Mi tina tenía vista, sin obstrucción, al Palacio Blanco, mi símbolo personal del amor. Sería porque la única vez que subí a Montmartre estaba enamorada y después de ese romance nunca más quise volver. Desde entonces lo relaciono con el amor, y le reservo el mismo tratamiento: lo admiro desde abajo, consciente de que existe, pero que es algo lejano y difícil de alcanzar.

Me bañaba de noche para recordar su presencia, para verlo alumbrado y majestuoso centelleando en la oscuridad, para añorarlo como algo inmaculado que, después de todo, se encuentra a sólo diez minutos de distancia.

Disfrutaba mucho esos baños nocturnos y aborrecía ser interrumpida. Así que cuando tocaron a la puerta, pensé seriamente en no contestar. No esperaba a nadie, y mucho menos a esas horas. Por la insistencia, supuse que debía ser alguien de confianza, al corriente de mi encierro y que, tal vez, temía no ser recibido.

Salí en bata, chorreando agua, y cuando vi el perfil recto de Alex aparecer en la mirilla, abrí desganada. Apenas olí la colonia que me era tan familiar y sentí sus manos largas rodearme la cintura; pensé en qué cómodo sería aplicar la teoría de Carolina: "mejor que te quieran a ti, más de lo que tú a ellos". Y lo he intentado. He querido resignarme a sus mimos, aterrizar confortablemente en sus brazos, preocupada por mi actitud hacia los hombres, que es un poco la misma que tengo hacia los zapatos.

Puedo pasar días, semanas, hasta meses, buscando un determinado par de zapatos que existe sólo en mi cabeza. Voy a las tiendas arrastrando los trapos con los cuales lo pienso combinar, explico sus características a los vendedores y jamás me desanimo. Generalmente se trata de un zapato invernal al comienzo de la temporada de verano, o bien de un color y modelo fuera de moda. Un proyecto, sin duda, imposible. Hasta estoy segura de que mi psiquiatra diría que en realidad no quiero comprar zapatos y que por eso me estoy boicoteando. Pero puedo afirmar, con toda certeza, que no es así. De hecho, compro zapatos todo el tiempo, tan sólo no puedo evitar seguir buscando y, sobre todo, deseando aquel estúpido par que tengo en mente. La dificultad crece si se le añade la inconsistencia de mis deseos, pues ese par, que busco con tanto ahínco, va cambiando según el momento. A veces es una bota puntiaguda, tacón de aguja y color blanco; a veces una sandalia de piso de cuero natural entrelazado; a veces un mocasín de charol verde pistache.

Alex es uno de los zapatos, el más cómodo de todos, que me pongo para andar en búsqueda del par de mis sueños. Ahí estaba ahora, sentado en el escalón que separa la recámara del baño, mientras yo volvía a meterme a la tina. Me hablaba de un asunto sin trascendencia y yo lo escuchaba, aburrida. Cuando me quejé de mi eterno dolor en la cervical, él ya me estaba masajeando el cuello. Pronto empezó a acompañar sus manos con su boca que ahora lamía mis hombros, insinuándose hasta el pecho. Al poco rato terminaba en la tina conmigo, intentando satisfacerme una vez más.

Pero mi romance con Montmartre se interpuso entre los dos. Tal vez también Lolita Pille tuvo que ver; esa tarde había leído a esta joven escritora que proclamaba, a los 17 años y en su primer libro, que el amor es todo lo que hemos encontrado para enajenar la depresión *post coitum*, para justificar la fornicación y consolidar el orgasmo. Ante estas afirmaciones me indigné, hasta comencé a escribirle una carta. Era un ataque frontal al sentimiento más sublime, el amor, y tuve la necesidad de rebelarme. Ahora, después de reclamarle que no porque ninguna de las dos lo experimentáramos tenía por qué desacreditarlo, me sentía más fuerte. Montmartre estaba de mi lado.

Paré a Alex, que me miró sin comprender. Salí de la bañera para descubrir un perverso regocijo en mi poderío. Al cruzarme con ese pensamiento no quise caer, por enésima vez, en la dinámica cargada de sadismo, donde disfrutaba de su humillación, mientras él, como el estiércol, entre más lo pisaba más se me pegaba.

Intenté explicarle, pero cuando vi su ceño fruncirse ya me quería retractar de mis palabras. Acabé pidiéndole que mejor se fuera. Se puso de pie, en toda la extensión de su estatura, provocando un escandaloso movimiento de agua. Creo que, al fin, los dos supimos que no habría mañana. Me sequé, se secó. Me vestí, se vistió. Adiós, adiós.

Arrodillada frente a Montmartre, mientras gotas mojadas de nostalgia escurrían de mi pelo empapado, prometí practicar la abstinencia para absolverme del desamor y no volver a desear que quien esté en mi cama salga de ella lo antes posible. De repente ahí, frente a mi santuario, me di cuenta de que su hermosura provenía de la distancia. Verlo desde lejos me evita subir las tortuosas e incómodas callecitas llenas de gente, ser empujada y maltratada por los muchos turistas que por ahí pasean, y ni siquiera tengo que atravesar la polución que a veces sume a París.

XI

Ligue en *Rue Saint Dominique*
20 de julio, 2002

Pasé horas observándolo; de pronto él también me miraba, aunque de reojo; no parecía estar muy interesado en mí. Se le veía inquieto, caminando de un lado al otro, con el frenesí de una fiera en su jaula. Su trayecto iba desde *Rue Fabert* hasta la *Avenue du Maréchal Galliéni*; a veces cambiaba de banqueta, pero sin dejar nunca la calle perpendicular, *Rue Saint Dominique*.

Debió considerarla su sitio afortunado porque defendía ese territorio como una especie de tierra prometida, acorralando a su presa de esquina a esquina, pero nunca más allá de ese límite, casi como si abandonar su puesto fuera una traición suprema. Parecía tenerlo medido: si la cosa no funcionaba en esos cuarenta pasos, suspendía la acechanza. Lo intentaba con todas, salvo las mujeres de edad, y con ellas me refiero a las de ochenta o más años. Por lo demás, cualquier espécimen de sexo femenino, que a esa hora constituían la mayoría de los transeúntes, estaba destinado a ser objeto de su acoso.

Desde mi observatorio veía toda la acción: la manera en que las divisaba, lanzándose sobre ellas sin soltarlas hasta que se volvieran inalcanzables, o sea que salieran de su rectángulo escogido.

La mayor parte de esas mujeres continuaban su paseo sin dignarle al terco cazador ni una mirada; algunas intercambiaban con él un displicente saludo; otra más sacó unos billetes de su cartera, tal vez pretendía alejarlo con una limosna.

Lo único cierto es que, en ese pedazo de calle, él las acompañaba, probando su suerte, que hasta entonces era magra. Conforme pasaba el tiempo, se le veía más desesperado y casi dispuesto a todo. A ratos llegué incluso a pensar que la próxima víctima sería forzada a aceptar sus pretensiones.

Ahmed —así apodé al galán de la plaza, con el nombre del palestino aquel que me había cautivado hace tanto tiempo— tenía una pinta algo subversiva, como tantos otros árabes que andan por París: piel apiñonada, ojos negros y aceitunados, pelo azabache. Era joven, lo delataba su ímpetu, aunque ya se notaban algunos signos de un envejecimiento probablemente prematuro. Vestía una camisa mal planchada y unos pantalones de mezclilla percutidos que le quedaban grandes. A pesar de su aspecto descuidado no era un tipo desagradable y estoy segura de que se habría podido ligar una mujer sin tantos esfuerzos, siempre y cuando su urgencia no lo delatara, como estaba sucediendo ahora.

Su necesidad no era, en el fondo, muy diferente a la mía, que me acostaba con alguien solamente para ventilar mi soledad. No me comportaba en forma tan explícita como Ahmed, tan sólo porque las apariencias que había que guardar en un mundo donde la hipocresía se llama civismo, no me lo permitían. Hace un rato, frente al espejo, me había introducido mi moderno consolador de acero inoxidable embarrado de *Vick Vaporub,* imaginándome el inmenso pene del árabe penetrarme con fuerza y sin recato, mientras me violaba en el *lobby* del edificio.

Además de mirar a Ahmed y de gratificarme físicamente, esa mañana había avanzado mucho en la novela, en la que me movía ya con cierta agilidad. Al fin lograba transformar mi tendencia a la mitomanía y a la invención en una historia escrita, en la cual estaba usando el personaje de Diana, cuyo drama había tergiversado hasta llevarlo a lo inverosímil. En el tercer capítulo, Diana, o mejor dicho Dina —el nombre que le di a mi víctima —desaparecía; en el décimo la hallaban muerta. La policía sospechaba del vecino, un aristócrata francés, amante de Dina, cuya culpabilidad, dado su carácter arrebatado y perverso, parecía evidente. Hasta allí llegaba mi escrito. Me figuré que si en la realidad no había una muerte, bien podría inventármela, al fin que ser escritora me daba esa licencia. Lo más importante era que mi prosa hacía sentido, era bastante entretenida, con buenas imágenes y atmósfera. Mi sueño estaba cumpliéndose; mi primera novela tomaba forma. Aún no tenía idea de cuál iba a ser el desarrollo de la trama, ni el final, ni siquiera el próximo movimiento del presunto culpable, pues los personajes ya habían cobrado vida propia. Y eso, según lo que recordaba de las clases de taller literario que había tomado en México, consistía en lo mejor que le puede suceder a un novelista.

Yves era únicamente un recuerdo que había enterrado bajo los escombros de mi memoria. Después de leer todos sus libros, cuyos temas eran cotidianos, a veces hasta simplistas, eso sí, siempre tratados con la elegancia del desapego, se convirtió para mí tan sólo en un personaje que regresaría, en carne y hueso, no antes de septiembre. Tenía yo entonces el tiempo suficiente para moldear su personalidad en mi fantasía sin la interferencia de una percepción concreta, de hacerlo actuar a mi gusto, sin tener el riesgo de ser desmentida. Comencé a inventarle las más improbables situaciones, a ponerlo en aprietos, haciéndolo sufrir a cada rato. Me sorprendía la capacidad de un escritor para distorsionar a una persona; apropiarse de sus palabras, de sus deseos. Me arrebataba esa fuerza que había encontrado en mí y estaba dispuesta a usarla sin importar las consecuencias.

Por lo demás, trabajaba a ritmo rápido y no quería perder el tiempo con otras lecturas, ni viendo la plaza, ni mucho menos con las hazañas de un pobre diablo en celo. Ahmed conversaba ahora con una joven en patines, a la que le miraba lánguidamente el trasero, mientras ella rodaba a su lado. Cuando la mujer siguió su camino, él la alcanzó y, con un atrevimiento nunca visto hasta entonces, le dio una nalgada. Ella aceleró, hasta que se confundió con los demás transeúntes. Fue el último intento de Ahmed; después de ese incidente, desapareció de mi vista. Estoy convencida de que fue a desahogarse sobre alguna banca, de las que están debajo de los árboles y, por su reciente agresividad, debía estar enojado. Tanto insistir, tanta dedicación, para acabar en las mismas: solo y teniendo que jalársela. Pensé en Alex; tuve ganas de llamarle, pero no lo hice.

XII

Una inválida en Los Inválidos
31 de julio, 2002

Después de diez días de escribir casi ininterrumpidamente, tomé uno de descanso. Permanecí en mi retiro, que estaba incentivado ahora por el mal tiempo; durante toda la mañana el clima estuvo cambiante y me la pasé preguntándome dónde estaba el verano parisino. Por lo pronto, tenía un excelente pretexto para quedarme en pijama, tirada en el sofá, con un té en una mano y Paul Auster en la otra —el libro de Paul Auster, se entiende—, disfrutando, al releerlo, de una soledad no precisamente inventada.

Este clima voluble y caprichoso me recordaba a mi torero, pues con esas virtudes me había hecho sufrir tantos sinsabores que hoy apreciaba particularmente mi soltería. Suspirando, miré al cielo, para descubrir un arco iris gigante que comenzaba en el *Hôtel National des Invalides* y llegaba hasta el edificio ocupado por *Air France*.

Sus siete colores degradados se extendían con el ánimo de una ilusión, aunque fuera óptica. Me levanté para ver el fenómeno con más detenimiento y, sin comprender el motivo, vi el arco iris teñirse poco a poco de otros tonos: blanco, azul y rojo. Agucé la vista y reconocí unas pequeñas figuras avanzar sobre la luz. "No puede ser", me dije escéptica, "¡pero sí son... son ellos!" Los inválidos de guerra, que desde el siglo XVII han habitado el edificio a mi derecha, estaban marchando con uniformes y banderas.

En primera fila estaba Napoleón, con sus medallas y su impecable atavío militar. A pesar de su estatura y su famosa mano conteniendo unos posibles retortijones, guiaba seguro al resto de la tropa. Debió encabezar la procesión por ser el símbolo bélico más prestigiado de Francia, además de estar enterrado allí. Los que lo seguían eran en gran parte ancianos: uno con pata de palo y muletas, otro con un ojo parchado, otro sin oreja. Reductos orgullosos de muchas guerras, en defensa de la patria o en pro de colonizaciones lejanas; desde el sitio de *Fribourg*, la batalla de *Waterloo*, hasta la de Puebla.

Escuché tiros de salva desde los cañones de la fachada del museo a mi derecha. ¿O serían truenos? No lograba distinguirlos. Lo único que pude ver con claridad fue el arco iris diluirse en el agua, que ahora caía copiosa. Los inválidos bajaban corriendo frente a *Air France*, cuando otro cañonazo, o más bien un trueno, estalló en el interior de mi edificio. Mis alucinaciones terminaron de golpe. ¿Qué fue eso? Instintivamente fui a la entrada y abrí la puerta para asomarme a las escaleras. Todo en orden, salvo la puerta del vecino que estaba entreabierta. Armada de valor y mucha curiosidad, toqué tan fuerte con los nudillos, que el robusto batiente de madera maciza terminó de abrirse.

—¿*Monsieur* de Hermonville?, ¿*madame* Graccard?, ¿Diana? —dije pausadamente y en voz alta sin recibir respuesta. Tal vez el estallido se había producido justo en ese departamento. A lo mejor había ocurrido un accidente. Podría haber explotado el tanque de gas, por ejemplo. Seguía pensando que lo correcto era no entrar, pero ya estaba adentro; no se oía ni un ruido, tan sólo percibí el espacio ajeno resistirse a mi presencia.

El departamento era muy diferente al mío. Más grande, pero oscuro, con muebles antiguos, cortinas pesadas, libreros en todas las paredes y muchos objetos. Un retrato de un probable antepasado en riguroso uniforme de oficial de la caballería, firmado por Nicolas de Largillière; las *Memorias de Adriano*, empastadas en piel y dedicadas a un tal August por la mismísima Yourcenar; un cuadro con tres infantas pintadas por Balthus colgado en la sala; el té *Lapsang Souchong*, que me gustaba tanto, en la cocina; mermelada de naranja amarga al jengibre al lado de varias botellas de champaña en el refri, y una escalera. Una suntuosa escalera en espiral con huellas de mármol portoro, semicubierta con un tapete rojo oscuro conectaba con el piso de arriba.

Después de haber inspeccionado la planta baja, subí los primeros peldaños.

—¿Hay alguien allí?

Continué el ascenso, para llegar a un vestíbulo repleto de libros y de fotos de avionetas antiguas que comunicaba a los múltiples cuartos. Entré a una de las habitaciones en la cual había una cama muy alta cuyas patas torneadas se prolongaban casi hasta el techo. La colcha tenía bordadas unas letras incomprensibles y los burós eran unas churriguerescas cómodas de madera oscura. Me introduje al vestidor, un amplio cuarto contiguo; la colección de zapatos y botas que encontré superaba, en calidad y cantidad, a la mía. La mayor parte era de otra generación: antiguos *John Lobb, John Weston* y *Berluti* se asomaban coquetos desde unos muebles hechos especialmente para guardarlos. Parecían competir en un concurso de belleza de tan hermosos y altaneros que eran. Las maletas en tela sellada y con las iniciales YH estampadas estaban dispuestas en metódico orden en los entrepaños superiores del clóset. Tirado en el suelo, reposaba un maletín de cuero natural. Lo abrí: contenía un juego de escopetas *Purdey,* similar a las que usaba mi abuelo para la cacería. Una de ellas estaba cargada. Temerosa, traté de imaginar cuál era el uso que Yves le daba, pues no tenía el aspecto de ser un aficionado a la caza. Salí de nuevo al vestíbulo de distribución y traspasé otra puerta: un *partners desk*[8] con una computadora de pantalla triple reinaba en el centro de ese cuarto. Por la cantidad de papeles regados

---

[8]Escritorio para socios: ancho mueble diseñado para que lo ocupen dos personas, una enfrente de la otra.

debía ser la oficina de Yves y allí, frente a mis ojos, estaba Diana. La desaparecida me veía desde un marco de plata y de pronto sentí muchas miradas sobre mí. Los ojos de Diana estaban en todas partes: muy maquillados, desde una pequeña cornisa de cristal de Murano; al natural, enmarcados por unos *goggles* de aviador; en blanco y negro, en una sugerente foto de estudio; azules y desnudos al lado del mar. Por primera vez sentí pánico. Yves me había mentido. Una pregunta me golpeaba las sienes: ¿qué había sido de Diana? Al voltear, ya de salida, divisé un pizarrón lleno de recortes de periódicos norteamericanos: todos contenían noticias de asesinatos de mujeres perpetrados por sus parejas. Encabezados como "*Husband kills wife during sex*" se extendían a lo largo del recuadro de corcho, como si fueran avisos oportunos.

De un salto bajé las escaleras, intentando salir de ese sitio cuanto antes, pero resbalé y rodé los últimos escalones para aterrizar sobre mi tobillo izquierdo. Sentada en el piso, el silencio de la habitación se llenó con un movimiento ligero, escondido, proveniente de las cortinas. Alguien estaba allí. Mi presión sanguínea se desbocó. Antes de que pudiera reaccionar, el gato de la portera se insinuó entre mis piernas. Lo acaricié aliviada mientras iba arrastrándome hacia la salida. Justo antes de pararme y cruzar el umbral encontré, tirado debajo de la mesa de la entrada, un sobre abierto con un sello transversal que decía *Strictly Confidential*. Saqué el contenido: un delgado manuscrito titulado

Dissection du mariage,[9] firmado por una tal Elisabeth Butterfly. En la prisa por salir sólo alcancé a leer el epígrafe de Balzac, que me sonó a desafío: "*Les dames n'entrent pas ici*".[10] Impulsivamente decidí quedármelo.

Alcancé a emparejar la puerta tal y como la había encontrado, cuando el elevador se detuvo en el piso y apareció *madame* Graccard. Escondí el sobre bajo mi brazo y recobré el aliento para balbucir algo sobre el estruendo que había oído.

—Nada grave. Fue un cortocircuito a causa de un trueno. Se quemaron algunos fusibles, pero ya lo hemos arreglado —me contestó—. Mi marido y yo saldremos de vacaciones en un rato —continuó, para luego percatarse de la puerta semiabierta—. No sé dónde tengo la cabeza hoy, que todo se me olvida —sacó la llave del delantal de cuadritos que traía puesto para dar con ella varias vueltas a la cerradura del departamento de Yves.

Por mi parte traté de caminar disimuladamente hacia mi entrada, pero al verme cojear, *madame* Graccard inquirió suspicaz:

—¿Qué le pasa?

Me sentí descubierta y, en un arranque de desesperación, tuve ganas de confesarle todo, compartirle lo que había visto y denunciar a Yves. Pero recordé que ella tenía acceso al departamento, lo cual significaba que estaba al tanto de las

---

[9] *Disección del matrimonio*, título de la novela escrita por Elisabeth Butterfly.

[10] Las damas no entran aquí.

fotos de Diana y que también me había mentido sobre su existencia. La portera volvió a escrutar mi cara desencajada.

—¿Qué le sucedió a su pie?

Le conté que me había torcido y, en mi parlotear confuso, debí de provocarle una cierta ternura.

—Tengo un remedio —dijo mientras pedía el elevador.

Al poco rato regresó con un ungüento y una banda elástica.

—Aquí le dejo mi teléfono en Bretaña, por si necesita algo. Visitaremos a mi familia durante todo el mes —concluyó más diligente que nunca, dejando atrás toda averiguación sobre el incidente.

Me perdí imaginando las razones de esa súbita amabilidad. Apenas vi su taxi alejarse, caminé adolorida hasta la embajada de Austria, donde, según mi memoria, Diana se desempeñaba como empleada, para ver si allí tenían alguna noticia sobre su paradero. Un cartel afuera de la puerta me anunció: "VACACIONES DEL PRIMERO DE AGOSTO AL PRIMERO DE SEPTIEMBRE".

Volví al departamento y cuando terminé de ponerme la pomada y la venda, comencé la lectura del borrador que acababa de robarme. El primer capítulo, titulado *L'anatomie d'une femme*,[11] comenzaba así:

"Me gustaría describir el matrimonio desde la perspectiva de un curso de ciencias naturales, así como diseccionamos una rana, una rata o una boa constrictor. Nadie mejor que Balzac ha resumi-

---

[11] La anatomía de una mujer.

do esa experiencia y entre todas las charlas y chismes reunidos ninguno iguala esta frase que es de una simplicidad desarmante: 'Un hombre no puede casarse sin haber estudiado la anatomía y diseccionado por lo menos a una mujer.' Este extracto de la Physiologie du mariage[12] *regula deliciosamente su cuenta con una convención secular, aunque arbitraria. En ella encontramos todo el arte balzaquiano de la sugerencia. Pero no hay que equivocarse: su aparente decoro disimula una discreta invitación a la muerte.*

"Para diseccionar a una mujer, como lo predica el autor, hay que tomar un gran escalpelo afilado o un cuchillo de carnicero, abrirle el vientre de un golpe seco y lleno de brío, mientras se la detiene por los pies como se hace con los patos; luego hay que deshuesar sus miembros grasientos y lechosos, todo esto conservando su corazón aún palpitante. Ustedes pensarán que yo exagero tomando a la letra un arrebato literario, 'un efecto' de los que tanto les gusta inventar a los novelistas. Y bien, yo voy a probar lo contrario. Porque es así como Balzac lo entendía: el matrimonio es bueno para los serial-killers. *Es la perdición de todos los demás."*

El escrito continuaba ofreciendo supuestas pruebas, entre ellas una edición antigua de la *Comédie humaine* que contenía frases crípticas que se eliminaron en las publicaciones posteriores, según las cuales Balzac era un asesino en serie. Inspirado por éste, el protagonista de la novela también decidía diseccionar a su esposa, pero al final era descubierto por la policía. El libro terminaba con la asociación del inspector de la *police* y el marido homicida a un club que prac-

---

[12] *Fisiología del matrimonio,* libro escrito por Honoré de Balzac.

ticaba la tanatopraxia del género femenino como una forma de arreglar los problemas conyugales.

Apenas concluí la lectura tiré el manuscrito al suelo. La autora de ese libro estaba convencida de que el asesinato era la única solución al enigma del amor. Yo ya no quería pensar. Estaba agotada, con el tobillo doliente y la mente más torcida que nunca. No vi otro remedio que tomarme una dosis del ansiolítico prescrito. Sólo así pude dormir.

XIII

Bailando sin salir de casa
3 de agosto, 2002

Entre el calor que explotó de repente y las novedades sobre el *Dianagate*, mi mente no estaba muy clara. Me tomó un rato asimilar los acontecimientos, durante el cual hice muchas suposiciones, que pretendía, una vez agrandadas y deformadas, usar en mi novela. Los hechos reales se limitaban a que Diana era bastante más que una aventura para Yves, que él me había mentido y que una tal Elisabeth había escrito un libro, tan ocurrente como macabro, sobre las desviaciones de Balzac. Por otra parte, la desaparición de Diana, por lo menos de mi vista, también era una verdad tangible, pero ¿de qué servía saberlo si no había ni a quién contárselo? El edificio estaba desierto y la ciudad de vacaciones. Además, no existía una sola prueba de mis sospechas. Para entonces mi pie estaba casi sano; en cambio, desde hacía días, me empastillaba de forma regular, pues llegué a la triste conclusión de que sólo un medicamento podía darme la calma necesaria para escribir.

Antes de deslizar el manuscrito de la señorita Butterfly por debajo de la puerta de Yves, me di cuenta que dentro del sobre había un formato escrito a máquina. Era la inscripción al concurso literario para el *Prix de Flore*[13] al que Yves se había inscrito usando el pseudónimo de Elisabeth Butterfly. Ese nuevo descubrimiento me alteró: la situación se me complicaba en la cabeza a grados barrocos y, antes de entrar en un nuevo trance elucubrador, decidí mejor distraerme. Era sábado y se me ocurrió salir de casa a la hora más calurosa del día; la excusa era irme a averiguar sobre las clases de sevillanas al *Centre de danse du Marais*,[14] donde ya había tomado una que otra lección en viajes anteriores. Vestida con una falda amplia de algodón ligero, una playera sin mangas y visera, saqué mi bici a la calle. Atravesé la explanada longitudinalmente, hacia el puente *Alexandre III*. Una vez allí, en lugar de dirigirme hacia la ribera derecha preferí andar en la banqueta, en sentido contrario, sobre el *Quai d'Orsay*. Cuando crucé al fin el río, la denominada operación *Paris Plage*[15] estaba en su apogeo. El calor también. El Sena se había convertido en un mar maloliente, sus orillas en una verdadera playa: no faltaban ni la arena, traída en camiones desde la *Côte*, ni las palmeras, probablemente plásticas, ni las tumbonas, atiborradas de carne humana. Era un paisaje similar al de los litorales más con-

---

[13]Premio literario otorgado por el *Café de Flore*, cafetería ubicada sobre el *Boulevard Saint Germain* y frecuentada por la intelectualidad parisina.

[14]Centro de Danza del *Marais*.

[15]*Paris Plage* es una iniciativa del gobierno parisino que, durante el verano, adecúa las riberas del Sena, en el centro de París, para que sean usadas como una playa.

curridos de la Costa Azul, y como ése, soportable sólo desde lejos. Continué por mi camino hasta la escuela de danza. Me estacioné en el área destinada a los ciclistas, puse el candado a mi vehículo y entré al patio abierto. Allí también se percibían los aires de verano: las mesas del restaurante de comida mexicana habían invadido la plazoleta y los comensales veían el espectáculo gratuito de las alumnas de flamenco que palmeaban y revoloteaban sus faldas de ensayo. Sentado frente a un plato de fajitas y ante una atractiva pelirroja estaba Alex. ¡Mi Alex! Sentí una punzada en el estómago y la imperiosa necesidad de esconderme; me bajé la visera y traté de hacer una discreta retirada. Emprendí el regreso a casa pedaleando molesta, consciente de que no tenía por qué estarlo y, en lugar de utilizar la ruta de ida, me adentré en las tortuosas callecitas del *Quartier Latin.* Al pasar frente a *La Palette,* un conocido *bistró* cerca del *École des Beaux-Arts,* me pareció ver, sentada en el interior, a Diana. Frené, amarré la bici al primer poste disponible y entré a buscarla. Llegué al comedor con las neuronas alteradas de un toro que parte plaza. Debí confundirme porque no había nadie siquiera parecido a ella. Permanecí un buen rato decepcionada, observando a la concurrencia, antes de salir de nuevo a la calle. Al apoyar mi trasero en el asiento de la bici, el dolor me indicó que estaba hirviendo. Me levanté en un acto reflejo, para volverme a sentar de inmediato, como si estuviera complacida por esa inesperada tortura. Me acomodé sobre la quemazón y pedaleé hasta la casa.

Al llegar me refugié en mis escritos y pasé el resto de la tarde sentada sobre mis nalgas ardidas, describiendo psicológicamente al posible asesino de Diana, el mitómano que sufría trastornos de identidad disfrazándose incluso de mujer. Al atardecer, el caluroso día se convirtió en una de esas noches veraniegas en las que los pocos franceses que aún permanecían en París se lanzaban a las calles de fiesta, junto con los miles de turistas que arribaban del resto del mundo. Recibí la llamada de un amigo mexicano que estaba de paso con su "banda de cuates" y me quería invitar a cenar. Era uno de esos compatriotas que van a *Saint Tropez* y creen conocer Francia; arrasan con las tiendas de *Avenue Montaigne* para sentirse elegantes; de los que chapurrean francés sólo para ser atendidos rápidamente por el mesero del antro *lounge* de moda. A pesar de mi añoranza por México, logré contenerme y permanecí digna en mi soledad. Le inventé una excusa tan rara que hasta Carolina, quien le había dado mi teléfono, me habló desde el campo escocés donde vacacionaba, para regañarme por mi descortesía. Ni modo, era una ermitaña que regresó a lo elemental: comer-dormir, leer-escribir, como si lo uno fuera consecuencia de lo otro. Carolina, que llevaba meses tratando de hacerme volver a mi vida anterior —salir-socializar, trabajar-comprar—, me acusó de amargada. Ni cómo desmentirla.

Cuando logré terminar un capítulo especialmente intrincado, decidí hacer una pausa. Me sentía tan aislada del mundo, que comencé a dudar si tal vez nunca había entrado al departamento de Yves. A lo mejor había sido un sueño. No podía olvidar que minutos antes estaba viendo a hombres uniformados marchando sobre un arco iris. En mi novela, Diana alias Dina, había sido una especie de ninfómana a quien se le descubrían a diario nuevos amantes. Éstos se parecían diligentemente a los múltiples hombres que habían pasado por mi vida. Iban desde el *junior* mexicano, galante y pretencioso, hasta el atractivo musulmán, tal vez un posible terrorista, tan audaz en las cuestiones políticas como cobarde en las amorosas; desde el extravagante y bisexual músico inglés, hasta el poeta sin patria ni amigos, pasando por el inútil conde italiano, caído en la decadencia de ser noble y pobre en una república rica y mezquina. El vecino seguía personificando al novio celoso, presunto culpable del crimen.

Iban a dar las once. Escuché en la radio una de mis canciones favoritas, *I'm so excited,* salté afuera de mi bata, me enfundé en un sexy minivestido verde hierba proveniente de mi época reventada y, presa por un arranque, me lancé al baile. Después de todo no había podido zapatear esa tarde y mi cuerpo pedía acción.

"I'm so excited, that I can't hide it. I'm so excited and I just can't hide it. I'm about to lose control and I think I like it, uh, yeah..."

Con las manos levantadas hacia el cielo y meneando la cadera, admiraba la Basílica de *Sainte-Clothilde* estrenar su iluminación de verano cuando, por un instante, bajé la mirada a la plaza. Exactamente debajo de mí, en línea recta y perpendicular a las torres de ese templo, entre dos árboles hundidos en la negrura de la noche, había un farol que proyectaba un aro de luz, en el que un hombre, cual Fred Astaire, pero sin lluvia ni Ginger Rogers, bailaba, imitando cada uno de mis movimientos.

Mi primera reacción fue la de esconderme, apenada por haber sido descubierta, sola y haciendo el ridículo, pero me aguanté la vergüenza y me asomé discretamente. Al fin que él también estaba solo y no muy lejos de hacer un ridículo semejante. El sujeto seguía agitándose en su baile. Por la oscuridad y la distancia ni yo alcanzaba a ver su cara ni él la mía, así que decidí que iba a pretender estar en una fiesta, bailando con alguien. Él no podía tener la perspectiva necesaria para ver la profundidad de mi departamento, que estaba en el quinto piso, demasiado en alto para ser visto al detalle, por lo que continué moviéndome lo más rítmicamente posible, sin dejar de verlo de reojo. Había logrado, según yo, desconcertarlo y el juego continuaba.

"*I'm your Venus, I'm your fire, at your desire. She's got it yeah, baby, she's got it...*"

Aunque estaba segura de que él no podía alcanzar a oír la música, de todas formas subí el volumen y me sentí Venus, fuego y deseo, e inspirada, ensayé mis mejores pasos. El hombre ya no bailaba, pero me veía y, de seguro, esperaba un desenlace. En el fondo yo también lo hubiera querido. Pero ni yo iba a bajar, ni él iba a subir.

"*Oh, what a night, late December back in '63. What a very*

special time for me. As I remember what a night... What a lady, what a night!..."

El radio continuaba con las melodías *oldies but goodies* cuando por primera vez se me ocurrió: ¿y qué tal si me conoce? Podía ser Ahmed, el acosador de la *Rue Saint Dominique*, o tal vez Alex, que pasaba por aquí y quiso hacerme una broma, o a lo mejor Yves, que me espiaba. Asustada, di una vuelta sobre mí misma, le hice una reverencia al desconocido y apagué las luces. Me metí, aún sudada, en la cama; a pesar de la terminación abrupta, creo que desde los quince años no me divertía tanto bailando sin salir de casa.

Pronto los miedos superaron mi buen humor. ¿Y si eso mismo le hubiera sucedido a Diana? ¿Y si la próxima víctima fuera yo? Sonó el teléfono. Prendí la lámpara del buró y miré el aparato como si en lugar de un melódico *ring* estuviera oyendo una sirena de alarma. Al ver el identificador de llamadas reconocí el celular de Alex. Decidí no contestar. Apagué la luz y permanecí largo rato tendida en silencio, con los ojos muy abiertos. Recordé la escalera de Yves y el día en que escuché gemidos provenientes del piso de arriba. Caí en la cuenta de que él había sido el ruidoso amante: pues encima de mi departamento no estaban los cuartos de servicio en desuso como pretendía hacerme creer la portera, sino la parte superior de su casa. En cuanto el teléfono se calló, una lente invisible fue magnificando los crujidos de la oscuridad y ésta se llenó de fatídicas apariciones. Aunque intuía que el vacío era el único compañero de mi insomnio, sólo algunas horas después lo tuve claro. Fue cuando recordé que había olvidado tomar la media pastilla vespertina, mi dosis de tranquilidad. Sin prender la luz, me dopé y comencé a creer que Diana no estaba desaparecida y que con quien había bailado era un pobre diablo, tan solo como yo.

XIV

Paquete Vacacional Explanada
4 de agosto, 2002

Estaba extenuada y dormí hasta tarde. A causa de la orientación del departamento, que tiene el sol de frente hasta el mediodía, el calor pronto se volvió insoportable. Aun con las cortinas cerradas, el pegajoso bochorno se filtraba por cada rendija que se lo permitiera.

A las doce acabé por abrir los ojos, el termómetro de mi cuarto alcanzaba los 35 grados. Era hora de salir, aunque fuera parcialmente, de la oscuridad. Subí un poco la tela floreada del cortinaje y me preparé a recibir los rayos cegadores.

Oh, mon Dieu! La explanada se había convertido en un campo nudista. El área verde se había pintado de rosa tenue. Carnes pálidas, en una de sus pocas exposiciones al sol después del largo invierno y de una primavera casi inexistente, recibían ahora un verano inesperado. Varios hombres llevaban el torso desnudo, algunos con pantalones cortos; las mujeres, las piernas al aire y unas cuantas presumían sus sostenes. La playa del Sena se había extendido hasta aquí, y la fantasía de la gente le hacía pensar que no necesitaba agua para bañarse.

En la *Esplanade*, que es de una austeridad espartana, no hay una sola fuente y más bien prevalece el asfalto, rodeado de bloques de piedra compactos. Los pocos árboles que la conforman están dispuestos tan ordenadamente que, desde arriba, parece la maqueta de algún despacho de arquitectos que estuviera estudiando el impacto contextual de una nueva construcción. ¡No importa! A pesar de la falta de agua y de sus formas rígidas, ahí estaba todo ese gentío amontonado, inexplicablemente feliz de estar peleando por un centímetro de tierra con el vecino. Tal vez tenía yo que entender que muchos pasaron meses sumidos en un gris total, encerrados en sus minúsculos departamentos, añorando el sol, pero aun así me pareció que debían ser turistas; consideraba a los parisinos demasiado *comme il faut* para participar en una vulgaridad similar. Entonces divisé a Ahmed, el acosador de la *Rue St. Dominique*, que ahora perseguía a las más desvestidas, y más allá, al melenudo jugador de petanca que tiempo atrás pretendí seducir desde el balcón. Todas las caras empezaron a tornarse conocidas. Creí incluso ver a Diana, pero justo antes de que me precipitara en su búsqueda, su doble volteó de nuevo, presentándome la cara de una desconocida. En eso mi vista se posó en una escena que estaba desarrollándose en el recuadro de tierra vacío donde normalmente se encontraban los jugadores de petanca.

Bajo un solazo a pico, de los que pintan el ambiente de amarillo intenso, tan vivaz como el de Andalucía —que no por nada rima con alegría—, mi torero se encontraba tirado en el piso sobre el capote fucsia mientras un toro lo embestía, corneándolo sin piedad.

El sonido insistente del teléfono me distrajo y, sin poder encontrar el inalámbrico, fui a la cocina a contestar:

—¿Bárbara?

—Sí, ¿quién habla? —dije sin reconocer la voz que me deseaba buenos días.

—Natalie. ¿Sabes quién soy, verdad?

—Sí —confirmé.

—Hablé a México y tu hermano me dio tus señas.

—Ah —susurré, recuperándome de la sorpresa.

—Es que te quería avisar que tu papá tuvo un accidente.

—¿Y cómo está?

—En realidad no es nada grave, sólo se fracturó algunos huesos, pero me pidió que te llamara.

—¿Qué pasó? —abrí el refrigerador, tomé unas cuantas verduras, pensando que hierba mala nunca muere.

—Lo atropellaron mientras andaba en bicicleta. Estará en el sanatorio unos días.

—Entiendo —continué preparándome una ensalada de lechuga, pepino y zanahoria.

—Sé que de todas formas tenías pensado visitarnos, así que quise ponerte al tanto para ver si puedes adelantar tu viaje.

—Gracias por avisarme. Iré pronto. Te llamo apenas sepa cuándo —concluí mordiendo una zanahoria.

—Él te manda saludos.

—Dile que yo también —dije atragantándome.

Cuando colgué no quise pensar en esa conversación, así que me acerqué otra vez a la ventana, tras la cual había dejado a mi torero debatirse con la fiera. En ese mismo sitio veía, ahora mismo, a Yves acostado sobre una gran toalla de tono llamativo, que decía *VIVE LA MÈRE*. Un enorme mastín negro lo husmeaba y le lamía las piernas untadas de aceite. Después de beber el agua del recipiente a un lado de la toalla, el animal dejó de jugar con su amo para enroscarse bajo la sombrilla. Yo, algo deslumbrada por la luz, enfoqué mejor la mirada e Yves se convirtió en Alex, luego en un hombre desconocido —eso sí, de musculatura envidiable—, que permanecía en posición inmóvil con su traje de baño de *lycra* entallado y con los audífonos en las orejas, seguramente festejando el comienzo de sus vacaciones, sin importarle ni el dónde ni el cómo.

Para entonces yo estaba pasmada, indecisa entre si me perturbaba más que el torero siguiera vivo, o que mi padre lo estuviera, o que Yves y Alex se aparecieran frente a mi ventana, corroborando que mis deseos por prescindir de los demás eran inútiles. Sentí una nube tétrica posarse sobre mi cabeza. Mi progenitor en el hospital, Natalie más falsa que nunca, y yo a mis treinta y tantos años, en los que se implicaban diez de psicoanálisis, sin superar el complejo de

Electra. ¡Ni todos los ansiolíticos me salvarían de la depresión!

Además, ¿por qué mi vida era un absurdo recorrido por relaciones a medias con personajes tan diametralmente distintos y lejanos a mí? Más allá de eso, ¿por qué odiaba a mi padre? Un odio al estilo *Montecchi e Capuleti*, que a veces casi se desvanecía, pero nunca se iba del todo. Tan intrínseco que era probable que lo hubiese mamado en la leche materna.

No importa, ¿qué importa? La cuestión es que ahora tenía que ir a visitarlo. Lo que había evitado durante meses se me presentó repentinamente en forma de una obligación morosa. Claro, siempre cabía la opción de no hacerlo. La constante posibilidad de escoger. Malditas disyuntivas. Pero ¿estaba dispuesta a pagar el precio, a cargar con la culpa que ya se había colgado de mis hombros? "Enterrar a los padres en paz es muy recomendable para el bienestar", fueron las palabras de mi terapeuta, que a veces me sonaba a sacerdote, tal vez más costoso, pero igual de dogmático.

Fueran cuales fueran las razones, después de resistirme a salir siquiera del departamento, tal parecía que ahora debía ir hasta Poitiers para ver a mi padre y a Natalie, el remedo de mujer con quien vivía.

En la explanada, mi torero desnudo arrastraba su toalla, el perro lo observaba apático, y yo, en mi ventana, comía a sonoras mordidas otra zanahoria. La plaza seguía sufriendo las inclemencias del verano y yo también.

XV

Gente en el cielo
5 de agosto, 2002

Uno

Al día siguiente decidí llamar a Carolina; mi amiga de infancia conocía mi situación familiar y su juicio al respecto se limitaba siempre a lo que ella consideraba lo apropiado, lo *politically correct*. Oírla era un poco como escuchar la voz de toda una sociedad y al mismo tiempo la de nadie. Carolina, sus dos escuincles, su flamante marido y hasta su perro, fungían como representantes de la inquisición moderna y me apuntaban con el dedo desde su funcional vida color de rosa, un poco desteñido, pero rosa al fin. Yo probablemente utilizaba esa conversación sólo para ofrecerle una última resistencia a mis ideas y acabar de convencerme por la lógica matemática de sus razonamientos.

En cierto momento, Carolina me alegó que le parecía ridículo que tuviera yo un padre en Poitiers, a escasas dos horas de París y, por si fuera poco, en el hospital, y que no quisiera verlo. A partir de ahí, calificó de anormal mi curso de verano suspendido, absurdo no haber ido al campo con ella

—o con alguien más, para el caso—, y enfermo que me hubiera pasado los últimos tres meses encerrada en un departamento.

—Si te querías aislar así, mejor te hubieras ido a una cueva en el desierto. ¿Para qué viniste a París? —escupió frustrada.

—No me gusta la arena; además, soy un animal citadino.

—Pues no te entiendo —rebatió ella.

—Necesito de la gente, verla, saber que está ahí. No la quiero tener demasiado cerca, eso es todo —le contesté, protegiéndome una vez más tras el velo del cinismo.

Era una discusión sin sentido, a la que seguía buscándole alguno; o por lo menos, donde anhelaba perderme en los recovecos de las frases, en los sonidos de las palabras.

Para enturbiar más nuestro artrítico diálogo, le conté, en el momento menos adecuado, las últimas nuevas sobre Yves y Diana, añadiéndole mis sospechas, que una vez pronunciadas sonaban aún más incoherentes de lo que eran. No sé por qué lo hice, tal vez en el fondo esperaba que ella ignorara ese tema, distraída por otros más concretos. Y así fue. Carolina estaba demasiado entretenida con el asunto de mi padre como para hacer caso de mis suposiciones. Además, a estas alturas, terminaba yo de completar el cuadro de una perfecta desequilibrada al manifestarle mi preocupación sobre un par de vecinos que, en rigor, no tenían la menor importancia en mi vida y sólo podían representar una nueva excusa para el escape de mi realidad.

Hasta yo me convencí de que Carolina tenía razón. Me sentía incluso perturbada al respecto de sus comentarios. Imaginé salir de mi refugio, después de años de confinamiento, embrutecida e incapaz de comprender la evolución humana. Pronto recordé que había entrado al departamento en esas mismas condiciones, por lo que salir de igual manera no debía ser, después de todo, tan lamentable.

Lancé la mirada al cielo; se detuvo en las estelas que habían dejado dos aviones al pasar. Eran como estrías en una enorme panza celeste que pintaban de blanco uno de los pocos cielos azules que había visto en París. La evidencia de que cientos de individuos, encerrados en latas metálicas, se transportan a toda velocidad de un lado al otro del mundo. Pasajeros suspendidos entre las nubes, que toman aperitivos; algunos en vasos de plástico, otros en copas de cristal, pero todos asidos de sus asientos y por llegar a un destino común. Puede que alguien esté rasguñando la espalda de su compañero al obtener un silencioso orgasmo en el tocador, mientras otro, asustado, araña las vestiduras de su butaca al ritmo de las sacudidas del avión; y otro más podría estarse asomando, ahora mismo, por la ventanilla y, con el ojo de la imaginación, cruzar su mirada con la mía.

Cuántas veces había estado trepada en uno de esos aparatos, haciendo malabares en el aire, con la esperanza de un destino nuevo o desilusionada por uno viejo. Viendo el mundo desde lo más lejos posible, sin sosegarme nunca, vo-

lando siempre más arriba, más rápido, enferma del mal de
la insatisfacción. Hasta que, exhausta, decidí mejor observar los movimientos de los demás.

¿Era tan incomprensible mi reticencia a salir? ¿O mi conflicto paterno? ¿O la desaparición de Diana? ¿O la mentira
de Yves? ¿O lo único que me sorprendía era la forma en
que me enfrentaba a estas cuestiones?

Traté de no pensar en el torero, ni en Diana, ni en Yves,
ni siquiera en el espinoso tema de mi padre. Intenté escribir, leer, comer, dormir, pero un único pensamiento venía
a mi mente: "No tomar una decisión equivale a tomarla".
Quién sabe de dónde saqué esa sentencia, pero estaba claro que me iba a condenar con ella.

A las ocho de la mañana del día siguiente decidí apurar-
me para no perder el tren a Poitiers. En el lapso de media
hora había reservado una plaza en el TGV[16] de las 9:05, ha-
blado con Natalie para anunciarle mi llegada y alistado mi
bolsa de viaje. Regresaría en el último tren disponible, ese
mismo día. Me lavé los dientes, tomé una manzana para el
camino y recorrí las entrañas del edificio vacío hasta tocar
el suelo. Una vez que puse los pies en la tierra, me sentí más
tranquila; después de todo no me resultó tan extraño volver
al mundo. Al abrir la puerta de acceso, el buzón para entrega nocturna se vació y salieron dos cartas. Una era para Yves
y el sobre tenía grabado el nombre de Diana Hofburg. Apenas lo cubría el sello de una oficina postal de Londres. Me

---

[16]Tren de alta velocidad en servicio entre algunas ciudades francesas.

desconcertó constatar que Diana estaba viva y que, además, le seguía escribiendo a Yves. Manoseé un rato el envío. Una feroz curiosidad me ardía en las manos, pero me quedaba poco tiempo para decidir qué hacer. Así que guardé el sobre en mi bolsa y salí de carrera hacia el Metro.

Apenas afuera, lo vi. Sentado en una banca, bajo los árboles, parecía como si me estuviera esperando. Aceleré el paso. Él también lo aceleró.

XVI

Gente en el cielo
6 de agosto, 2002

Dos

Tomé la *Rue Saint Dominique*, dejando al poco rato la banqueta de esa calle, convencida de que ahí terminaría la persecución, pero Ahmed, el ligador más aplicado de la explanada, cruzó tras de mí la *Avenue du Maréchal Galliéni*. Apuré el paso y me asusté un poco, pues nunca lo había visto seguir a alguien fuera de su territorio. La cuestión más extraña era que no me dirigía la palabra, haciéndose más bien el disimulado. Crucé toda la plaza, con un calor abrasador que me pulsaba en la piel, volteando a ver a Ahmed de vez en cuando, como para hacerle saber que estaba al tanto de su presencia. Pero él no desistía. Me dirigí hacia la estación del Metro y se me ocurrió despistarlo: tomé el camino hacia la entrada de *Air France* y me escondí tras el murete. Funcionó: bajé corriendo las escaleras, mientras Ahmed pasó de largo. Transpirando y con el vestido pegado al cuerpo, me formé en la fila de la taquilla para comprar un boleto. Cuando buscaba la cartera en mi bolsa, Ahmed apareció, justo detrás de mí. Él traía cara de impaciencia y yo de susto, que se fue trasformando en desesperación al descubrir que mi monedero no estaba en la bolsa. Frenética, vacié mi mochila en la barra de la caja. Ahmed se acercó al despachador automático de refrescos. Entre la carrera, el nerviosismo y el calor, gotas de sudor caían de mi frente sobre el desorden desparramado: chicles, toallas femeninas, pañuelos desechables, una botellita de agua, la carta de Diana, mi *Palm*, un pedazo de papel con el número de reservación del tren, bilé, *gloss* y otras chucherías. El monedero no estaba. ¿Perdido? ¿Robado? Angustiada, volví a meter las cosas a la bolsa. "Cálmate", me dije. La única explicación plausible que encontré fue que debía haberlo olvidado en casa, como tantas veces me había sucedido ya. Tendría que volver. Sin mirar atrás, subí los escalones de dos en dos; de regreso a la superficie, escuché a alguien que me decía: "*Mademoiselle*". Era Ahmed que me llamaba. Corrí. Ignoré el semáforo, se me cayó el broche del pelo, me tropecé con una viejita a la que casi tumbé, pero no me detuve hasta atravesar toda la plaza de un jalón y llegar a *Rue Fabert*. Allí, en el último cruce, un coche casi me atropella. Alcancé a golpear el cofre con la palma de mi mano, tan cerca estaba del vehículo que había enfrenado. Se asomó por la ventanilla del *Jaguar* verde nada menos que el cura y del otro lado se bajó Yves.

—*Madame, ça va?* —me preguntó amable—. Ah, pero si es usted, la vecina —dijo reconociéndome—. ¿Mucha prisa?

—Sí. Disculpen, pero ando apurada. Voy a perder el tren y dejé mi cartera en casa —contesté completamente fuera de mí.

—¿A dónde se dirige? —continuó con su rancia cortesía.

—A la *Gare Montparnasse*; voy a Poitiers.

—Hay un TGV cada hora, no se preocupe.

El cura lo interrumpió mostrándose por la ventana abierta del auto aún en marcha:

—Si quiere, suba por sus cosas y con gusto la llevamos.

—Muchas gracias —dije, tan alterada que ni siquiera me extrañé por el ofrecimiento.

El sacerdote se quedó en doble fila mientras yo entraba corriendo al edificio y luego al departamento, rogando encontrar mi cartera. Allí estaba, en mi bolsa de mano del diario. Entonces me acomodé un poco el vestido y acerqué la nariz a mis axilas: olían a miedo. Me rocié perfume, a la más típica usanza francesa, y me lancé a la calle.

Yves me presentó a monseñor Gustav; después abrió la puerta delantera, se subió atrás y el padre tomó el volante. Ahmed observaba la escena desde la sombra de los árboles.

Me inquieté de nuevo, aunque creo que mi malestar no era causado por el árabe, sino por la imprevista aparición de Yves. Sin embargo, la presencia del sacerdote me tranquilizaba.

—Así que se va de vacaciones a Poitiers —me dijo el cura.

—No. Voy a visitar a mi padre.

—Muy bien. Hay que tener a la familia cerca —dijo, con

el mismo tono con que de seguro recitaba sus sermones.

—Lo voy a ver porque está en el hospital. Solamente por eso —le contesté.

—Ah, qué pena —continuó como si no se hubiera percatado de lo que intentaba decirle.

—Parece que no es nada grave —dije, sin ocultar mi descontento.

—El perdón es el único remedio a la incomprensión humana —soltó cándidamente.

—Y la guerra —precisé yo.

—La guerra la hacen los intereses, no los conflictos entre las personas, ni siquiera entre las ideologías. Para solucionar los altercados humanos sólo queda el perdón y, mientras llega el perdón, la tolerancia.

—Si no fuera tolerante ni siquiera iría a Poitiers... —dije antes de ser interrumpida:

—Si las cosas o las personas fueran como quisiéramos que fuesen ¿qué nos quedaría por cambiar?

En eso, sin darme oportunidad de contestarle, se dirigió a Yves, que llevaba todo el camino callado:

—Dadas las circunstancias, podrías llevarla a Poitiers, ¿no crees, Yves? Te queda de camino a Bordeaux.

—Es cierto —dijo respetuoso Yves.

El cura se volvió hacia mí, sin esperar que Yves continuase:

—Todo listo, entonces. Si no le dan miedo las avionetas, ya tiene pasaje hasta su destino final. Yves es un excelente piloto y estoy seguro que tendrán un hermoso vuelo por la campiña que en un día tan claro como hoy —y señaló el cielo azul— le va a fascinar.

—Es muy gentil de su parte, pero creo que es demasiada molestia.

—Ninguna molestia. Figúrese: así Yves hará el viaje acompañado, ¿verdad, Yves?

—Sí, claro. Será un placer —proclamó Yves, haciendo una pausa demasiado larga entre las dos afirmaciones.

En el trayecto hacia el aeropuerto el sacerdote continuó haciendo alarde de su locuacidad. Al llegar frente al hangar de aviación privada, mientras nos bajábamos del automóvil, se despidió calurosamente de ambos y nos dio la bendición, que incluía sus buenos augurios por la salud de mi padre.

Sólo cuando vi la minúscula avioneta a la que me iba a subir, empecé a medir la situación en la que me había metido. Una fuerte colitis nerviosa me revolvió el estómago: iba a arriesgar mi vida no sólo por volar con un aviador tal vez inexperto o atrevido, sino además con un individuo mentiroso que escondía el misterio de Diana. Y todo esto para ir a dar a Poitiers, la tierra de mis antepasados que tantos conflictos me traían. ¿Cómo fue que terminé aquí, cuando días antes había jurado no salir siquiera de casa?

Era tarde para averiguarlo. Ya estábamos sentados uno al lado del otro, con los audífonos puestos, el volátil de cuatro plazas acelerando y yo queriendo frenarlo. Frenar. Bajarme. Nunca haber salido de París, ni mucho menos del departamento. Demasiado tarde. No me quedaba más que ajustar el cinturón y emprender el vuelo.

El poder de la gravedad me adhirió al asiento, mientras mis pensamientos brincaban, confundidos por la adrenalina. Una vez despegadas las ruedas del suelo, mis impresiones cambiaron del todo. Me sentí más ligera, liberada, como si estuviera en contacto directo con el cielo; una sensación que no había alcanzado a vivir en los aviones comerciales. Dejé ir el cuerpo hacia atrás y empecé a disfrutar ese mariposeo estomacal y la deliciosa fuerza que afectaba todos mis movimientos. Y así empezó a correr el campo debajo de nosotros: casas, fábricas, coches, autopistas, sauces, arbustos, pasto, cosas. La vida misma corría y yo suspendida en ese instante.

Empezaba a ver el mundo como una pelota redonda y lisa, a verme en un balcón de la Explanada de Los Inválidos, saludando a los que me veían desde el cielo; justo cuando comenzaba a sentirme protegida por esa monstruosa lejanía, por esa lámina delgada que me separaba diligentemente del infernal paraíso del exterior; en ese preciso momento, Yves me habló a través de los auriculares que llevábamos puestos:

—Estamos alcanzando la altitud de crucero y aterrizaremos en unos veinte minutos. ¿Todo bien?

La angustia se apoderó de mí. Hay que considerar, para entenderme, que pasé de estar encerrada conmigo misma en un departamento a estar en un pequeño habitáculo con Yves, el sospechoso número uno de mi novela. Había algo siniestro en su persona, que iba más allá de sus acciones o de la frondosa narrativa con que lo adornaba en mis escritos. Tal vez la superioridad implícita en su *nonchalance*, o el engaño oculto en sus frígidos modales. Así fue como salió de mi boca la provocación:

—Yo bien, pero ¿cómo está Diana? —apenas terminaron de resonar mis palabras, amplificadas por el micrófono, ya estaba arrepentida de haberlas pronunciado. Me vio con tanto odio que pensé que me iba a tirar por la ventana. Su respuesta fue tajante:

—Es una historia triste que podrá leer en mi nuevo libro —concluyó con una voz que parecía venir de ultratumba. En eso, le llamaron de la torre de control y se puso a hablar con ellos. Yo veía tan sólo su boca moverse, pues debió haber apagado mi audio. No volvió a dirigirse a mí hasta que aterrizamos. Allí, después de pedirme permiso, cruzó su brazo para quitar el seguro interno a mi puerta y me encontré con su cara muy cerca de la mía. No tuve el tiempo de incomodarme, pues se alejó velozmente para bajar a abrirme.

—Espero que tenga una feliz estancia en Poitiers —se despidió.

—Muchas gracias por traerme —contesté nerviosa.

Él me enseñó sus dientes, supongo que en una forzada sonrisa, y también bajó un poco la cabeza, como en una reverencia obligada. Dio la media vuelta y se volvió a meter en el volátil verde militar que se alejó rápidamente sobre la pista de rodaje. Tomé mi bolsa y caminé hacia el edificio de salida. Mi sexo estaba agitado, quién sabe si por la emoción del vuelo o por la que me provocaba Yves. Tenía la novedosa impresión de que este hombre me gustaba más de lo que estaba dispuesta a admitir. Además, percibir que había sido víctima de un desengaño amoroso me llevaba a querer protegerlo. Vaya cambio de perspectiva. Su sufrimiento por Diana, confirmado inclusive en su obra artística, era obvio; y yo empezaba a entender que sólo se puede escribir literatura acerca de lo que nos afecta en primera persona.

Poco importaba ahora. Estaba en Poitiers y mis otras tribulaciones sólo podían intensificarse.

XVII

Jacques

7 de agosto, 2002

En el aeropuerto de Poitiers pedí un taxi, le di la dirección y me acomodé rendida en el asiento trasero. La hazaña aún no comenzaba y yo ya no podía más.

Miraba por el cristal del auto reconociendo, poco a poco, la señalización, la calle, el campo. Los *marroniers*[17] corrían verticales ante mis ojos, mientras recordaba cada una de las curvas necesarias para llegar a mi destino. Observaba la metamorfosis del lugar que me había visto crecer, verano tras verano, antes de la muerte de la abuela. Vi a la ciudad tan santa, tan sucia y tan sabia de siempre, las tres cualidades por las cuales era famosa. Igual que yo, seguía siendo la misma, tan sólo un poco envejecida. Había pequeños cambios, como las primeras arrugas, tan imperceptibles para el habitante como para quien las lleva en la cara, pero que para mí, que no venía desde hacía años y aún no aceptaba los

---

[17] Castaños.

procesos de envejecimiento, eran sorpresas, la mayoría desagradables. La barda provisional, atestada de la más diversa publicidad, escondiendo la restauración del Baptisterio de *Saint-Jean*, el edificio cristiano más antiguo de Francia, por ejemplo, o el infame letrero en amarillo chillón de una nueva tienda de autoservicio. Pensé en las aberraciones de la era moderna, mientras compadecía a la ciudad, atiborrada de escandalosas rebajas, al verla sufrir bajo un sol impertinente.

El chofer dio la vuelta en el callejón de entrada a la casa de mis abuelos y tuve enfrente la ruina en que se había convertido. Ni un solo naranjo crecía en las macetas alineadas en el acceso; la piedra de sus muros estaba parcialmente despegada y sin un mínimo mantenimiento; faltaban muchas de las tejas del techo, las ventanas de las mansardas tenían algunos vidrios rotos y se veía a distancia que sus marcos de madera estaban podridos. Conservaba, sin embargo, una imponente presencia que recordaba desde mi última visita, muchos años antes. Al bajarme del auto, vi a mi padre pedaleando su bicicleta, en perfecto estado de salud. Hasta chiflaba.

La situación no me asombró en lo más mínimo. Me había acostumbrado hace mucho tiempo a que nada de él me escandalizara. Después de haberlo visto disfrazarse de cabaretera, con todo y peluca, imitando a Ute Lemper, en una interpretación de *Kabarett*; o mearse, en pleno día y borracho, en las jardineras de la calle más transitada de Poitiers, no me iba a sorprender ahora por una blanca mentirita. Además, mentir, jugar y burlarse, eran las pocas actividades que mi padre ejecutaba con verdadero entusiasmo. Pagué el taxi y fui a su encuentro.

—Veo que estás mejor —le dije.

—Sí, amanecí bastante repuesto y, como sabía que ibas a venir, me paré para recibirte —dijo al bajarse de la bici mientras fingía cojear.

—Qué considerado —le seguí el juego.

—Leí tu libro —continuó mientras estacionaba su destartalado vehículo.

—¿Y qué tal? —no pudiendo contener mi ego, siempre en busca de ser aplaudido, le había enviado mi primera publicación apenas me fue entregada por la editorial.

—Un bodrio —sentenció, aventando la bici contra la pared y limpiándose las manos en el pelo canoso.

—¿Y para decirme esto me hiciste venir?

Mi padre tenía la peculiaridad de conseguir exasperarme, a pesar de mi firme intención por evitarlo. Bastaba el más mínimo contacto con su petulancia para que recordara todos aquellos años de psicoanálisis en donde el doctor lo señalaba como el responsable de la mayoría de mis desequilibrios.

—No. De hecho te llamé porque te voy a heredar —me miró fijo y me ahogué en la profundidad del azul casi gris de sus ojos, una de las cosas que me hubiera gustado heredar. Le sostuve la mirada y callé, mientras mi corazón palpitaba, esperanzado de ver mi sueño cumplirse.

Me invitó a entrar. El interior de la casa estaba en peores condiciones aún. El piso tenía un gran hoyo en las duelas de madera, justo frente a la puerta de acceso y se encontraba plagado de perforaciones que indicaban que estaba siendo carcomido por la polilla. Un perchero de pared sostenía abrigos y chamarras colgadas desordenadamente; en el portaparaguas de porcelana mellado, había dos sombrillas oxidadas, un palo de golf polvoriento, uno de esquí y algunas ramas de leña. En medio del vestíbulo reinaba una moderna recepción en acero cromado y cristal, tras la cual posaba altanera Natalie. En esa atmósfera ruinosa se veía aún más desagradable de lo que la recordaba. Me saludó con su voz estridente; estaba más delgada, de seguro a causa de las curas de hormonas. Tenía más cintura, más tetas y, como todos, más arrugas.

Me condujeron al salón principal donde, aparte de los muros, lo único que quedaba de los tiempos de la construcción, fechada algunos siglos antes, era la suntuosa chimenea en *statuario* blanco. Los muebles de mis abuelos habían sido seguramente rematados para ser sustituidos por unos psicodélicos y baratos, al estilo de los años ochentas, la época de oro de la rebelión de mi padre. Éste llevaba catorce años con ese proyecto de hembra autonombrada Natalie. ¿Quién lo iba a decir? Cualquiera hubiera jurado que, una vez descubierta su preferencia, el romance terminaría. Creo que hasta llegué a pensar que a mi progenitor le gustaban los hombres sólo para incomodar a mi madre, que lo hacía como una provocación hacia los demás, pero en especial hacia ella. Una muy personal forma de insubordinársele. ¿O era que yo no podía constatar las delicias del sexo prostático? ¿O a lo mejor había subestimado a Natalie, aquel estropajo que me miraba ahora mismo desde un indescriptible atuendo y que, por las noches, de seguro se transformaba en un personaje de show que debía alentar la perversión de mi padre? Y, sin embargo, en lo referente a la homosexualidad moderna, tengo la impresión de que muchos de los que se acuestan con los de su mismo sexo no lo hacen por una atracción real, ni siquiera por motivos hormonales o sexuales. Es tan sólo una forma de comunicarse, a veces de desobediencia, a veces de búsqueda de apoyo, en la que el objetivo real es siempre pertenecer. Vincularse a una especie de *ghetto* que proporciona abrigo y, en algunos casos, también un cierto *status*. Casi como ser parte de una familia postiza que cobija y protege a sus miembros.

De mi cuenta, me sentía una experta en la materia: mi padre vivía con un transgénero en Poitiers, y mi hermano, en México, después de años de permanecer en el clóset, pertenecía ahora a esa informe colectividad *gay*, cuyos miembros tienen por común denominador adorar al mismo ídolo. Un *lifestyle* que, lujoso o paupérrimo, cruel o tierno, vanguardista o conservador, los identifica. Mi hermano, por ejemplo, era muy distinto a mi padre: recibía en su casa como la señora más distinguida; era detallista, meticuloso, vestía al último alarido de la moda, sin perdonar a quien no se doblegara frente a estos caprichos; era experto en todas las bellas artes y su vida sentimental era un largo *via crucis* de parejas distintas donde las funciones del *he-she* se volvían una alternancia obsoleta.

Una vez sentados en el horroroso sillón de *vinyl*, de color negro, Natalie comenzó la conversación:

—Supongo que te vas a quedar a dormir. Te voy a preparar un cuarto —dijo, sin dejar que le contestara. En eso, un extraño individuo con semblante oriental, de edad y sexo vagos, cruzó el salón.

—¿Quién es? —dije en voz baja.

—Es un huésped —contestó mi papá.

—Es un amigo —dijo ella al unísono.

—No, creo que nada más comeré con ustedes —me apuré a aclarar.

Con la excusa de ir a la cocina, Natalie se paró, alborotándose la larga melena rubia. Al quedarme sola con mi padre, él tomó la delantera:

—¿Cómo estás? Digo, después de lo de tu mamá.

—Bien, bastante bien. Todos nos vamos a morir, ¿no?

—Tienes razón. Por eso te busqué. Yo también moriré pronto.

—Te veo en óptima forma —llevaba años con ese discurso y yo contestándole lo mismo. Aunque de pronto, al estar frente a su vejez, me cruzó el pensamiento de que su muerte en verdad se acercaba.

—Voy a morir pronto y quiero dejar arreglada mi herencia —al darme cuenta de la seriedad de sus palabras, me preocupé.

—¿Qué, estás enfermo?

—Sí. Tengo... —y procedió con un largo listado de todos los males que padecía, los cuales iban desde jaqueca hasta la fractura de una costilla en proceso de recuperación, comprobándome una vez más que estaba más sano que nunca—. Además de mi precaria salud, estoy llegando a la edad en la que hay que decidir el destino de los haberes; pensar en la familia, que por lo que veo finalizará en mis hijos.

—¿Ahora me vas a recriminar que no te dé nietos? ¿Por qué no regañas a mi hermano en todo caso? Es él quien lleva el apellido ¿no? —lo ataqué.

—A propósito, ¿cómo está él? —dijo pausadamente, como para hacerme entrar en ese ritmo.

—La última vez que lo vi, estaba bastante bien, dadas las circunstancias: el funeral de mi mamá.

—Y París, ¿qué tal? —la especialidad de mi padre: saltar de un asunto a otro sin profundizar en ninguno.

—¿París? Afuera —evadir, en cambio, era lo mío.

—¿Qué dices?

—Nada —la incomunicación era, definitivamente, lo nuestro.

—En fin. Te llamé para decirte que he decidido, por lo menos en materia de herencias, no romper las tradiciones de la familia.

—¿O sea? —pregunté, intuyendo cuál sería el desenlace de su discurso.

—Te tocarán las joyas de la abuela.

Lo sabía. Hice una pausa para recobrar el control; estaba furiosa, pero exteriorizarlo no me iba a favorecer, así que continué con relativa calma:

—Ya sabes que es lo único que de verdad no quiero.

No, con él no se podía hablar en serio. Además, ¿desde cuándo le había importado, siquiera mínimamente, su familia?

—Lo sé, y lo siento —me contestó inmutable.

Me le quedé mirando. Se me hacía difícil pensar que ese chaparro, flaco, con cara de *baguette*, nariz enorme y, además, marica, fuera mi padre. Pero, ¿qué es un padre, después de todo? ¿Esa figura anquilosada que nos revisa las calificaciones, nos regaña de vez en cuando y nos debe dar un ejemplo de conducta? Nada de eso había hecho jamás el hombre que tenía enfrente. Por otro lado, ¿dónde estaban escritos los requisitos para la paternidad?

—¿Y tú? ¿Cómo vas? —resignada a que fuera mi turno de civismo, intenté olvidar su insensibilidad.

—Sobrevivo. El hotel —así le llamaba él a los diez cuartos en renta en que había convertido la casa de su familia— no deja ni para los gastos. Ni con la ayuda del gobierno puedo mantenerlo. De seguir así tendré que vender.

—Llevas años diciendo lo mismo. Si estás tan afligido, yo te compro.

Aventuré esa proposición porque estaba dispuesta a usar mi herencia materna para coronar mi sueño más preciado: quedarme con ese sitio y devolverle la dignidad que algún día había tenido y que mi padre se divertía en humillar.

—Pido cinco millones de euros.

La propiedad valía uno, tal vez dos, pero él gozaba torturándome, sabiendo cuán estúpidamente apegada estaba a esa vieja mansión. Me parecía que entrar en posesión de esos muros me serviría para lanzar un ancla estabilizadora, que me pondría en contacto con un pasado más glorioso que el reciente. Un pasado que deseaba desempolvar, casi como si pudiera contribuir a la recuperación de mi persona. Para mi padre ese tema era tan sólo mi lado débil.

—Además, ni lo vendo ni lo heredo. Si logro conservarlo lo donaré para hacer una escuela de artes dramáticas. A ti te tocarán las joyas de la abuela —insistió.

Las joyas de la abuela, o lo que quedaba de ellas, consistían en un valioso y antiguo anillo de esmeralda con el escudo familiar que estaba maldito; un sencillo collar de perlas de tres hilos sin gran valor económico y una tiara de brillantes que, por orden testamentaria, no se podía vender. Era históricamente comprobable que la mujer que poseyera esas alhajas cargaría la saga de la familia y sería desdichada en forma permanente.

—No vine a hablar de herencias. Estoy aquí para ver cómo estás; por lo visto, igual que siempre —dije molesta.

En eso llegó Natalie y nos invitó a pasar a la mesa. Allí la conversación se centró sobre el clima y los perros, que habían pasado a mejor vida.

Me sirvieron el platillo que desde niña detestaba: *foie de veau a la poêle.*[18]

—Soy vegetariana —dije, mientras comía solamente las papas al horno.

—¿Quieres queso u otra cosa? —se apresuró a decir la diplomática Natalie.

Moví la cabeza en señal de negación y Jacques me sirvió vino.

—No tomo alcohol.

—Pues deberías, es buenísimo para el colesterol —dijo Natalie sin que yo le contestara.

—Espero que de vez en cuando por lo menos cojas... —intervino mi padre viendo a Natalie que se rió cómplicemente.

A mí también me causó gracia el comentario y casi sonreí.

—De vez en cuando —contesté.

—Deberías de animarte más seguido, a ver si por casualidad sale un nieto.

—Estás comenzando a parecerte a mi mamá.

—Oops... eso sí que está fatal.

—Y como le dije a ella, la procreación no está entre mis prioridades; para darle continuidad a mi vida tengo mis libros.

—Pues reconsidera, que tal vez así yo reconsidere lo de tu herencia. Además eso de tener hijos es divertido y no está peleado con escribir.

---

[18] Hígado de ternera al sartén.

Se divertía conmigo. A las cuatro de la tarde, cansada de tanta tensión, les pedí que me llevaran a la ferrovía. Tenía vacío estomacal. ¿Por qué me habría tocado ese padre? ¿Qué era lo que más me molestaba de él? ¿Sus burlas? ¿Su abandono? ¿Su sexualidad? A pesar de mis resentimientos también le tenía una extraña forma de cariño y no sólo porque era sangre de mi sangre. A veces simpatizaba con su humor, su anticonformismo y hasta su estilo de vida. Si no hubiera sido mi padre hasta me habría resultado simpático.

Nos despedimos sin tocarnos. Subí al tren y me apoltroné en la butaca. Busqué, para corregirlo, el borrador de mi novela que, según yo, estaba en mi bolsa, cuando, al hurgar en ella, apareció la carta de Diana. Se me había olvidado por completo. Como también el ansiolítico, que debí de haber dejado en París.

XVIII

La fiesta

16 de agosto, 2002

El borrador de mi novela apareció en mi escritorio, exactamente donde lo había dejado. Mi agenda electrónica, en cambio, estaba extraviada, tal vez se había quedado en casa de mi padre, pero como no la necesitaba, preferí llamarlo más adelante, cuando se me pasara la desilusión de mi visita. Diez días habían pasado desde mi ida a Poitiers. Diez días llevaba sin *Ceropram*;[19] me figuré que si había soportado ver a mi padre sin ayuda química, podía tolerar cualquier otra cosa. Y diez días me debatí sobre qué hacer con la carta de Diana. Poseía yo, sin duda, una gran fuerza de voluntad: cada vez que iba a abrirla, mi ética hacía esfuerzos de héroe mitológico por contenerme. La voz de mi madre me gritaba desde el más allá que era una bajeza violar la correspondencia ajena. La voz de mi padre, en cambio, parecía alentarme telepáticamente y desde su casa: pues se

---

[19]Nombre de un antidepresivo.

vanagloriaba de haber abierto más de una. Hubo momentos de mucha templanza, en los cuales, cada vez que iba a violar el secreto de esa correspondencia, una Bárbara más juiciosa me ordenaba continuar escribiendo. No hace mucho me distraía inconscientemente para no escribir y ahora escribía sólo para distraerme. En mi prosa divagaba sobre la culpabilidad del vecino, y los detalles de la vida promiscua de Dina, alias Diana, la supuesta víctima de mi novela. Llegué incluso a justificar su homicidio. El verdadero enigma consistía, ahora, no ya en resolver una muerte, sino una vida, la vida de una heroína caída en desgracia, egoísta, y que giraba como trompo sobre su persona, en un juego cada vez más sin sentido.

Llegué al fin a un compromiso salomónico: abriría la carta con sumo cuidado y la regresaría intacta al buzón, antes de que Yves volviera del campo. Durante diez días estudié la técnica para abrirla sin ser descubierta. En un manual para detectives, aprendí cómo poner el sobre boca abajo encima de un cacharro de agua hirviendo y dejar que el pegamento se derrita con el vapor. Al ejecutar las instrucciones, poco a poco la aleta de cierre se fue ablandando hasta despegarse. La abrí aún húmeda. Las cuatro hojas que, creía yo, me explicarían la situación entre los dos protagonistas estaban en blanco. Cándidas como quería ver mi conciencia. Su único propósito era abrigar una llave minúscula. Toda esa espera sin ningún resultado: una gran lección para mi morbosidad. Diana ya no tenía nada que decirle a su ex enamorado, tan sólo mandarle el objeto que, tal vez, el otro usaba como excusa para seguir llamándola. Es más: debió haber sido Diana la que rompió con él, y él quien seguía enamorado de ella. Por eso Yves estaba hasta escribiendo un libro. ¿No es acaso para curarse los desamores por lo que se escriben los libros?

Desde temprano había observado el montaje de unas pequeñas carpas blancas, justo en el centro del rectángulo que ocupan normalmente los partidos de petanca. Al principio pensé que se trataba de un acto público, tal vez un pequeño teatro de marionetas, o un concierto al aire libre, de los que inundan París durante los veranos. Con el mal sabor del silencio de Diana envolviendo la escena, comencé a prestarle más atención a lo que ocurría en el exterior. A eso de las siete de la noche fueron llegando varios señores de traje, algunos acompañados por sus mujeres o viceversa. Parecía un *cocktail* —un *apéritif,* como lo llaman aquí, tal vez de alguna empresa, o de los empleados de *La Mairie*[20] de París. Debajo de una de las carpas, un cuarteto de música clásica tocaba una canción cuyas notas se perdían en el ambiente sofocante. En otra carpa, el bar ofrecía vino blanco y uno que otro tinto.

Las preguntas sobre la llave enviada me torturaban: ¿Abriría una caja fuerte? ¿Un escondite secreto? ¿El casillero de un club? ¿Un cajón olvidado? ¿El buzón del correo? Siempre hay una opción que se escapa, pero, ¿cuál era? Mientras

_____

[20] La alcaldía.

me cuestionaba, seguía espiando la fiesta. Alrededor de la concurrencia había una diminuta valla de madera pintada de blanco, muy bajita y algo ridícula; suficiente para que los invitados se concentraran en esa área, sin salir del límite virtual que impedía el acceso de posibles intrusos. Al cabo de dos horas, algunos asistentes ya se habían retirado, otros hablaban con más ánimos, mientras continuaban bebiendo.

Yo seguía imaginándome los posibles usos de la misteriosa llave, cuando mi vista fue a dar detrás de un árbol. Protegido por la sombra, un hombre de mediana edad detenía con una mano su pene, apenas afuera del pantalón, mientras con la otra mantenía el saco abierto, regando el pasto con orín. Cuando hubo terminado, se reincorporó al convivio sonriendo satisfecho. La situación no me sorprendía, pues recordé que mear en público estaba, no sólo entre las curiosidades de mi familia, sino en las mías personales.

Me vino a la mente aquella boda en un jardín de Cuernavaca. Acababa de oscurecer, y mi torero, para variar, había tomado más de la cuenta. Buscamos privacidad entre la frondosa vegetación, justo donde terminaba el pasto. Después de darle una rápida alegría a nuestros cuerpos, yo con la espalda pegada a un árbol y él deteniéndose en el tronco, tuvimos necesidad de orinar. No había ni tiempo ni ganas de ir hasta el baño, que se encontraba al otro extremo, y ahí mismo, uno al lado del otro, protegidos por la oscuridad, nos pusimos a desaguar a la par. Fue una sensación excitante, sensual, liberadora. Sentir el fresco de la hierba casi al contacto con mi sexo aún mojado, la brisa acariciar mis piernas dobladas, el todo condimentado con el ansia, fugaz y deliciosa, que me provocaba la posibilidad de ser descubiertos. Ni la vergüenza que pasamos cuando, justo atrás de nosotros, se iluminaron los fuegos artificiales, mientras todos los invitados nos miraban de pie divertidos, logró minimizar mi placer.

Mear al aire libre era en verdad delicioso. Tal vez el viaje a Poitiers vino a recordarme que seguir los ejemplos de mi progenitor, quien siempre se meaba donde más oportuno le parecía, era altamente saludable.

Mirar el pene de aquel individuo estimuló mi libido que ya estaba despertando del letargo provocado por el ansiolítico, cuyos efectos reducían en forma considerable mis apetitos. Varias veces tomé el teléfono para marcar el celular de Alex, pero me detenía antes del último dígito. Al fin logré completar la llamada.

—¿Por qué no me saludaste el otro día? —fue su primera pregunta.

—No te vi.

—Tampoco me contestaste el teléfono.

—No...

—No te entiendo.

—Yo tampoco me entiendo. ¿Dónde estás? —continué.

—En Pantelleria.

—¿Dónde?

—En una isla entre Sicilia y África. ¿Te puedo marcar regresando?

—¿Cuándo vuelves? —pregunté sin ocultarle mi ansiedad.

—Dentro de veinte días ¿Por qué? ¿Necesitas algo?

—No, llámame entonces. Y que te diviertas.

Con Alex me pasaba lo de siempre: su lejanía era inversamente proporcional a mis ganas de estar con él. Si lo tenía en mi cama, quería mandarlo a un país exótico, pero si estaba en Italia y con otra, sin duda lo quería en mi cama. A lo mejor así de caprichoso e inexplicable era el amor.

A lo lejos, en mi mente, oí la risa de mi padre. Abatida, me senté sobre el baúl de la recámara, con la misteriosa llave de Diana aún en la mano. Jugueteaba con ella cuando se me ocurrió meterla en la cerradura del baúl. Al ver que encajaba perfectamente traté de girarla, pero no se movió; es más, después de algunas intentonas se quedó atorada. Con muchos esfuerzos logré sacarla y, harta de perder el tiempo con mis obsesiones, la volví a depositar en el buzón de Yves, dentro del sobre, tal y como lo había encontrado. Apenas lo hice, comencé a cavilar cómo forzar el baúl sin dañarlo.

XIX

Peter

27 de agosto, 2002

De niña respondía solamente si la llamaban "Peter". Jugando a la guerra era un contrincante sanguinario y gozaba torturando ranas e insectos en el laboratorio de ciencias naturales. Al cumplir cuarenta, su regalo de cumpleaños fue quitarse lo que consideraba un estorbo de su cuerpo: la matriz.

Hoy se vanagloriaba de esa operación, como si se tratara de una grandiosa victoria, no sólo sobre las molestias del ciclo menstrual, sino un verdadero decreto de independencia de cualquier forma de feminidad.

Todo esto me lo contó con su voz gruesa en los cinco minutos en los que nos quedamos solas. Vestida con un traje sastre de corte masculino, me observaba tras unas reflejantes gafas amarillas, que hacían juego con su corto pelo rubio. De vez en cuando buscaba una reacción de mi parte; bajaba los lentes para enseñarme sus ojos cansados, sin maquillaje alguno. Me desafiaba con sonrisas algo burlonas, que debían ser su forma de seducir. Creo que también pretendía demostrarme, con su franca arrogancia, la contundencia de su pensamiento. Su virilidad resultaba apabullante si consideramos que, a falta de huevos, ni matriz tenía.

—No me gustan las lesbianas —me amenazó en inglés británico y voz gruesa—. Nunca me han gustado —continuó—; las mujeres-mujeres, son lo mío.

Mientras se resisten, pienso intrigada, le atraen, pero cuando logra convencerlas y la aceptan, su interés se acaba. Comportamiento más masculino que éste no podía haber, pienso, recordando al prototipo del macho común que, tan a menudo, gusta de un espécimen del sexo opuesto sólo hasta que logra poseerlo.

¿Qué hace este personaje en mi casa?, me cuestioné repentinamente. Recuerdo: lo trajo Carolina.

El verano estaba por terminar. El viejo de pelo gris y colita de caballo volvía a jugar petanca en la plaza; el calor iba disminuyendo, y Carolina había regresado del campo. Ella fue quien me pidió que organizara una reunión para un grupo de compatriotas, amigas mutuas; unas ex compañeras de colegio que venían a recoger a sus hijos de quién sabe qué campamento en el sur de Francia y, que, antes de hacerlo, pasarían unos días en París.

Cuando le confirmé a Carolina la hora de la reunión, me preguntó si podía traer a una persona más, y, por supuesto, acepté. Mi amiga había comenzado a cursar un diplomado de psicología en la *Sorbonne*; Carolina siempre tuvo una enorme fascinación por el comportamiento humano, y yo, una gran fascinación, aunque oculta, por ella, quien tenía mucho de lo que me hacía falta. Aunque me la pasara criticando su forma de vida, en el fondo y desde mi trinchera de ironía, codiciaba sus logros, por no decir simple y llanamente que la envidiaba. Su equilibrio, la paz que la envolvía, su familia, sus hijos, su mundo bien delimitado por la acogedora falta de sorpresas, me parecían, la mayoría de las veces, muy deseables. Cuando yo declaraba a los cuatro vientos que la felicidad era un estado mediocre y que nunca me había interesado trataba de ocultar la frustración que me producía no haberla conseguido. Su personalidad sabía llevar sus objetivos hasta destino final, y por eso le tenía una muda admiración, la misma que sentía por todas las personas que consiguen sus propósitos. ¿Sería porque yo aún no podía siquiera identificar los míos?

Me trasladé a la recámara, a donde vi que se había dirigido Carolina, y al verla sola aproveché la intimidad para preguntarle sobre la presencia de Peter en mi casa y, de paso, en su vida.

—Se trata de un trabajo de la escuela —se apuró a responderme.

—¿Un trabajo de la escuela?

—Sí. ¿No te conté?

—No, no lo hiciste.

—Estoy haciendo un estudio sobre las mujeres hetero-
sexuales que incurren ocasionalmente en el lesbianismo
—me dijo, moviendo sin precaución la minúscula copa llena de oporto que tenía en la mano.

—¿Me estás queriendo decir que Peter es tan sólo parte
de una investigación?

—Te estoy queriendo decir que me estoy acostando con
Peter —me respondió después de beber un sorbo muy largo y dejar su vaso medio vacío en mi escritorio.

Me acerqué para mirarla a los ojos y recordar nuestra infancia, cuando simulábamos que una de las dos era hombre
para poder besarnos sin miramientos. Nos repetíamos que
sólo era para aprender. A falta de alguien más con quien
practicar, Carolina se convirtió en mi iniciación sexual. La
primera persona que me provocó un orgasmo, si bien en
ese entonces no sabía con exactitud lo que eso significaba.
Recuerdo que me ponía roja, conteniendo la respiración
cada vez que ella me estrujaba y me lamía a escondidas debajo de alguna cama. De pronto regresé al presente. Sus
ojos me seguían mirando arrogantes. Estaba muy cerca de
su cara y tuve un impulso incontenible: la besé. Fue un beso mojado de enojo y recibido de la misma forma, que poco tenía que ver con los besos inocentes de nuestra niñez.
Quedamos las dos sin palabras. Tocaron a la puerta y entró
una de las mujeres proveniente del salón. Estaba buscando
el baño y, al vernos juntas, nos pasó a abrumar con comentarios sobre las bondades de la vista y de vivir en una ciudad

como París. Después me preguntó si tenía algún tipo de desmanchador, pues su vestido blanco había sido víctima de unas gotas de vino. Fui a buscar un trapo húmedo mientras en mi mente enjuiciaba sin piedad a Carolina, que se había ido a la sala. ¿Cuál era la necesidad de abandonarse a los brazos de alguien para explorar una teoría? Especialmente si tienes un buen matrimonio, con todo y prole, entre tus tantos aciertos. Me encontraba desmanchando a mi ex compañera de clase cuando la cuestión se trasladó al fin, y en forma directa, sobre mí: ¿por qué había besado a Carolina?, ¿y por qué estaba viendo esta nueva faceta suya como una especie de amenaza a título personal, como una traición a nuestra amistad? ¿Eran acaso celos los que me movían?, me pregunté, preocupada por ese repentino desorden sentimental. ¿Será mi larga y tortuosa búsqueda del hombre ideal, aunada a todas esas relaciones sin sentido y la prolongada abstención de todo placer físico mancomunado, lo que me alejaba de aceptar mis preferencias? Tal vez mi padre me había contagiado algo más que su cinismo magistral. Sin embargo, ni ella ni Peter me provocaban deseos sexuales verdaderos. Aún no podía imaginarme el sexo sin la penetración masculina. Pero, ¿no había dicho yo misma que la homosexualidad, o en este caso el lesbianismo, tiene poco que ver con el acto sexual?

La reunión continuaba sin más sorpresas. Me reincorporé a la sala, acompañada por la mujer de la mancha. Gracias a mis torpes cuidados, los restos del vino derramado en su ropa se habían extendido a lo largo de su discreto escote. Me sentía tan lejos de todo a mi alrededor, que ya no me gustaba estar allí. No quería seguir estancada en ese limbo en el que me había encerrado a observar los males ajenos, para no ver los propios. Escondiéndome en una novela que, por más que le daba vueltas, era tan sólo la recurrente invención de una soledad: la mía. El personaje de Dina, que estaba explotando basándome en *flashbacks* en los que analizaba minuciosamente sus comportamientos, era cada vez más cercano a mí. Tanto que me preparaba a dar un giro a la trama para llevarla hacia el cuestionamiento existencial. Partiendo de esta nueva idea estaba dispuesta por fin a resignarme a que la vida de mis vecinos no me iba a ofrecer ningún misterio particular y que iba a tener que continuar mi historia sin su ayuda. Esto implicaba la forzosa indagación en mis propios abismos, lo que me atemorizaba de sobremanera. Esa noche lo que necesitaba era compañía; sin duda, masculina. Me había decidido a romper mi ayuno físico para preservar el equilibrio mental.

Consideré la posibilidad de salir con ese grupo de mujeres hambrientas de emociones y de las aventuras que la noche parisina pudiera ofrecer.

Carolina, con la excusa de que su marido debía de haber llegado ya, se levantó del sillón para despedirse, seguida de inmediato por Peter.

—Las acompaño —me precipité caminando tras ellas. En la puerta de entrada, mientras esperábamos a Carolina, que regresó a mi cuarto a buscar la bolsa que había olvidado, Peter me dijo:

—Me saludas a Diana, tu vecina.

—¿Qué dijiste? —pensaba haber oído mal a causa de su acento.

—Que le des un beso a Diana, de mi parte —y se lamió el labio superior.

—¿La novia de Yves? —fue la primera connotación con la cual pude catalogar a mi vecina.

—Ella, exactamente.

No tuve tiempo de reaccionar cuando ya Carolina regresaba con su bolsa, jalando a Peter hacia la salida. Mi amiga se excusaba por la repentina prisa, alegando ahora que tenía que terminar una tarea para su clase del día siguiente.

Quise detenerla. Detener a Peter. Preguntar más, pero no supe cómo hacerlo y se despidieron de mí, sin que pudiera reaccionar. En eso, el grupo de damas impecablemente vestidas, salvo una manchada de rojo, se dejó venir compacto hacia la puerta. Hablando todas al mismo tiempo, parecían una nube amenazante que me arreó hacia afuera en un escandaloso barullo. Una de ellas ya había cogido mi bolsa y mis llaves de la cómoda de la entrada; le oí decir que la ocasión de cenar juntas no se podía desaprovechar. "Después de tanto tiempo sin verte hay demasiadas cosas que contarnos", dijo otra de ellas. Ni intenté rehusarme; mi imaginación estaba muy ocupada en cavilar sobre el inesperado vínculo entre Peter y Diana, como para lograr deshacerme de ellas con algo de estilo.

Así comenzó mi primera salida a un restaurante, desde que me había recluido en París. Una cena con cinco mexicanas anodinas con las cuales tenía poco en común. Y yo, pensando, una vez más, en el misterio de mi vecina, pero ahora ya no en Diana, ni en Yves, sino en Peter.

XX

Y tú ¿quién eres?
28 de agosto, 2002

Mi ida a cenar fue peor que una pesadilla. Estaba afuera pero seguía adentro. En una pesadilla suceden acontecimientos sin que el cuerpo participe de ello. Duermes, por lo general en una confortable cama y, mientras tanto, puedes soñar con cualquier ocurrencia que te provoque. Cuando despiertas constatas que tu realidad es mucho más agradable que el sueño. En cambio, yo estaba despierta, sentada frente a un plato de *sushi* en un restaurante de moda, escuchando, por el lado derecho, a alguien que me contaba sobre el exceso de libertad que sintió su hijo de nueve años al entrar a una escuela Montessori, mientras que por el lado izquierdo otra voz me recomendaba un curso de sexología sobre las técnicas para realizar manualidades: "Mi favorita es la de la mascada de seda que se enrolla en el —ji, ji, ji— miembro, pero mi marido prefiere la del collar de perlas".

No había ningún canal de comunicación, ninguna forma de escape, ni siquiera la posibilidad de despertar. Apenas pagamos la cuenta logré escabullirme. Caminé hacia la *Rue Fabert* sin prestar atención al viento que soplaba, ni al olor pegajoso de la calle, ni al ruido de mis tacones que le sacaban notas flamencas al piso. Llegué al departamento y en estado de desgano total observé por un rato Montmartre, luego el baúl cerrado y al fin me encamé. En la miseria de mis sábanas, me revolqué una y otra vez hasta que un pálido deseo consiguió embriagarme. El animal que dormía entre mis piernas se contrajo y la sangre pulsó en mis venas. Introduje el dedo medio en la hendidura mojada, luego le añadí el índice, los otros. Me quería perforar, lastimarme, a ver si por allí se pudieran meter los sentimientos. Con la otra mano, la derecha, me acaricié el pecho, bajando hasta las nalgas. Las apreté con fuerza, metiendo el pulgar en el ano. Me vine sin detener los chillidos que, a pesar del placer físico, parecían más de dolor que de goce.

Inmediatamente después me dormí. El cuerpo satisfecho, la mente en pena. Soñé que estaba buceando: los peces me veían, yo veía a los buzos y nadie podía hablar. Desperté tarde y, como un autómata, me puse a escribir en mi rincón, junto a la ventana. Como la sangre de una herida abierta, las palabras fluían sin sosiego, una atropellando a la otra. Un texto informe que consistía en pasajes poco concretos, sin puntuación ni mucho sentido. Describí cómo Diana, alias Dina, se había involucrado con Peter y cómo esa relación iba a costarle la vida. Primero figuradamente, por tener que renunciar a una parte de ella, y después físicamente, asesinada a manos de un amante celoso.

Llamé a Carolina cuando mis cálculos estimaron que había llegado de la universidad.

—Espero que no me juzgues por lo de ayer —me dijo preocupada.

—¿Quién soy yo para juzgarte? Más bien te quería pedir perdón.

—¿Perdón?

—Por entrometerme y por lo otro... lo del beso —casi no pude terminar la frase, tan confundida me tenían mis acciones del día anterior.

—Me trajiste muchos recuerdos.

—No sé qué me pasó. Discúlpame —estaba esperando cortar esa conversación que me atribulaba de sobremanera.

—No te preocupes —apenas sentí que la presión se levantaba tuve ganas de decirle que yo también lo recordé todo: nuestros juegos, nuestras pláticas, el cariño mutuo y hasta el deseo. El deseo que, a pesar de todo, ella me provocaba. Podía haberle dicho que llevaba años extrañando lo nuestro, esa complicidad, esas afinidades que sólo pueden encontrarse en el propio sexo, esas similitudes de cuerpos que, tal vez, sólo reflejan el amor a uno mismo, pero no lo hice.

—Pues todo arreglado entonces —la corté para ir al grano—. Quería ver si me pudieras dar el teléfono de Peter.

—¿Para qué lo quieres? —fue su primera reacción.

—Necesito hablarle; no es nada referente a ti.

Accedió perpleja, sin preguntarme más, y colgué rápido para marcarle a Peter. Contestó su grabadora y dejé mensaje:

—Soy Bárbara. Estuviste ayer en mi casa. Me quedé con ganas de preguntarte sobre Diana. No la he visto desde hace varios meses. Llámame al 45503913.

Lancé así el anzuelo a ver si podía llevar a cabo alguna averiguación. Al colgar, continué elaborando escritos sin pies ni cabeza y de vez en cuando miraba la plaza. Seguía yo en las mismas: hambrienta por follar, por librarme de esa súbita lujuria hacia el sexo femenino y no pensar en las mujeres que me la habían provocado. Lo peor del caso es que estaba segura de que mi evasión no era causada por un tabú hacia el tema sino por el mismo miedo con que evitaba relacionarme sentimentalmente tanto con hombres como con mujeres. Apenas experimentaba la pérdida del control o la aparición de un sentimiento, me escapaba en forma automática hacia el lado opuesto, desde donde orquestaba la destrucción, más o menos lenta y más o menos despiadada, de quien me había provocado tales desequilibrios. En esos pensamientos me revolcaba cuando vi el *Jaguar* verde del padre Gustav detenerse ante el edificio y a Yves bajarse del auto, despidiéndose del sacerdote.

Tuve un impulso, tal vez la curiosidad de ver su cara cuando abriera la carta de Diana. Corrí a ponerme brillo en los labios y, sin hacer ruido, tomé posición tras la puerta; la abrí, justo cuando él estaba apoyando su maleta en el piso.

Verlo de frente me desmoralizó un poco. Estaba aún más flaco que antes, casi demacrado, y el cabello le caía, largo y seboso, sobre los hombros. Vestía un chaleco para pescar, una camisa de algodón a rayas arremangada y pantalón de brincacharcos. De la elegancia algo estrafalaria de nuestro primer encuentro quedaba muy poco.

—¿Qué tal Bordeaux? —pregunté.

—¿Qué tal Poitiers? —remedó.

No estábamos dispuestos a ceder ni siquiera una contestación. Entonces se me ocurrió algo:

—Terminé tu libro —dije con suavidad.

Contaba con que ese tema lo motivaría y estaba decidida a llevar a cabo mis averiguaciones sobre Diana y Peter de una vez por todas y, a lo mejor, hasta a concederme un poco de diversión, aunque fuera con una nueva aventura. No sería la primera vez que rompiera un pacto de retiro forzado: vivir en un cuerpo solitario comporta inevitables debilidades.

—Auster es un gran inventor, y no nada más de la soledad —dijo viendo hacia la puerta de su departamento, como si tuviera ganas de desaparecer de la escena.

—Hablo del que tú escribiste.

—¿Cuál de ellos? —reviró de inmediato.

—El último. Bueno, en realidad, los leí todos y me gustaría comentarlos contigo. ¿No quieres tomar un café?

—¿Todos? Es una pena que no tome café.

—¿Una infusión? Tengo *Lapsang Souchong* —lo dije sin

pensar, pero sobre todo, sin rendirme. Necesitaba estar con un hombre y comprobar que mis deseos de hablar con Peter eran tan sólo para saber de Diana, que ella me interesaba exclusivamente para inspirar mis escritos, que la vida de Carolina me tenía sin cuidado y que yo era un ser un poco raro, pero nada peligroso, salvo para sí mismo. Me miró como quien acaba de descubrir el juego de su adversario:

—Está bien, en un momento regreso.

—Perfecto.

Tendría tiempo para abrir la carta, pensé ansiosa de tenerlo a mi disposición para un interrogatorio personal. Puse a hervir agua y pasé un rato acicalándome frente al espejo, antes de que sonara el timbre. Abrí la puerta y me saludó con un beso a cada lado del cuello, donde encajó la hendidura del suyo. Nuestros alientos se cruzaron; su olor, apenas teñido de perfume, se adueñó de mi olfato. El triángulo del calzón de hilo dental que traía puesto se mojó, mi excitación se había acumulado desde el día anterior. Con las paredes internas de mis muslos transpirando, me senté en el sillón de tres plazas, a su lado. Lo más masculino de mí ya estaba afuera; y deseaba seducirlo, arrebatarlo, poseerlo, venirme y saber todo de Diana.

—De tus *Placeres*, mi favorito es *Lluvia sobre mojado* —dije, comenzando por el mejor sexo, el que nace en las palabras—. Adoro la posición de muertito cuando estoy en el agua —continué, tomando su libro de la mesa para abrirlo donde tenía un marcador—. "Ver las nubes oscuras, rápidas y arrogantes, hostigar a las blancas que las miran resignadas. Desde el mar permitir que la lluvia teclee sobre el cuerpo desnudo una canción." Inspirador —concluí después de leer una de sus frases más cursis —. Es como… como…

—Como un poema —corroboró él.

—Eso, como un poema… un poema de Baudelaire —completé.

—"*¿A quién quieres más, enigmático? Dime, ¿a tu padre, a tu madre, a tu hermana o a tu hermano? No tengo padre, ni madre, ni hermana, ni hermano. ¿A tus amigos? Utiliza usted una palabra que no conozco hasta ahora. ¿A tu patria? Ignoro en qué latitud se encuentra. ¿A la belleza? La amaría con gusto, Diosa inmortal. ¿Al oro? Lo odio como usted odia a Dios. ¿Pues qué amas, entonces, extraño extranjero? Amo las nubes que pasan… allá arriba… allá arriba ¡las maravillosas nubes!*" —recitó de memoria, mientras miraba al cielo.

Así empezó el duelo de la conquista, donde uno avanza, el otro retrocede y cada frase azota un miembro distinto. Pero él no cedía, ni un acercamiento, ni una muestra de interés más allá que sostener una simple plática. A cada minuto transcurrido su indiferencia me pesaba sobre el ego con más fuerza y los silencios se prolongaban. No había más que conversar y dejar que el pensamiento engatusara al cuerpo. Decidí hablarle de mí, a ver si así me hablaba de él:

—Llevo cuatro meses encerrada mirando a Los Inválidos y aún no me canso de la vista.

—La vista es hermosa, si no estás ciego —dijo, extendiendo su mirada al horizonte, que me pareció se detenía justo en Montmartre.

Los tres ventanales de la estancia formaban un tríptico bañado por la luz aún brillante del atardecer. Me paré, caminando los pocos pasos que me separaban del balcón, dándole, por primera vez, la espalda a Yves.

—Mi ceguera se cura con algo de soledad. Aunque así creo que corro el riesgo de enfermarme por otros motivos. Es increíble cuántas cosas se acaban por saber si uno permanece solo el tiempo suficiente.

—Demasiadas. El yo solitario acaba ahorcado, o por su risa o por su llanto.

—Pero me gusta estar sola. Ver a la gente desde lejos, incluso a Montmartre prefiero mirarlo a distancia. Es como si quisiera estar, sin estar.

—¿Cómo puedes jugar, si pretendes nunca perder?

—Encerrándome en este departamento me parece una manera razonable de hacerlo —para entonces comenzaba a sentir que esa conversación me ponía en un sitio incómodo.

—La razón, por sí sola, no es suficiente ni para explicar la realidad.

—Por eso vivo en la imaginación —decidí defenderme.

—A mí me gusta más vivir en la imaginación de alguien.

—¿Aunque acabes por convertirte en una pesadilla?

—Me encantan las pesadillas, especialmente de los demás.

—Yo prefiero los sueños —rebatí.

—Todo sueño se convierte, tarde o temprano, en pesadilla —lo miré escéptica, oyéndolo aleccionarme—. Es más, te lo compruebo —lo observaba sin hablar mientras él continuaba su discurso con sutil arrogancia—: ¿Qué sucedería, por ejemplo, si tuvieras que permanecer en este departamento para siempre?

Desde el balcón me volví a mirarlo y me pareció que se ponía rígido, como si sus coyunturas estuvieran anquilosadas por la falta de movimiento, o adoloridas por el exceso.

—Eso sí que sería una bendición —exclamé mientras él se paró con fatiga, para luego encaminarse hacia mí, lentamente.

—Te apuesto, en cambio, que en cuanto te encuentres atada a este sitio harías cualquier cosa por irte —dijo bajando la cremallera de su chaleco.

Al sentirlo más cerca de mí me moví en forma instintiva hacia la esquina, hasta quedar frente a la ventana cuadrada, la más pequeña. Yo no tenía ganas de hablar de mi encierro y, evidentemente, toleraba tan sólo la cercanía física, no la emocional; así que le delimité el territorio a su disposición cambiando de tema. Además, el asunto de Diana seguía interesándome más que ningún otro, o eso creía, así que lo ignoré desviando la plática:

—Tal vez. Pero, ¿cómo va tu nuevo libro?

—¿Cuál? —dijo viniendo hacia mí.

—El que me mencionaste de camino a Poitiers.

—Ah, ése...

Era evidente que él tampoco quería hablar ya y, probablemente, se estaba resignando a que el contacto físico fuera la más fácil de las opciones. Su mano rozó mi hombro desnudo y su proximidad me hizo reaccionar. Rodeé su brazo con el mío e introduje la palma de mi mano abierta en su pelo, acercándome a su rostro. Le di un beso desordenado que se salía de la boca para volver a ella sólo de repente. Lamí su cara, su cuello, masajeando su nuca, y él, más bien pasivo, me seguía lacónico, con tímidos golpes de lengua. Mi fuerza erótica quería liberarlo y comencé a desabotonarle la camisa que saqué desfajada de los pantalones. Mi boca surcaba su torso con largos trazos, desde el ombligo hasta la manzana de Adán, luego el mentón y otra vez su boca. Él intentaba soplarme en las orejas y yo fluía desde la unión de mis piernas, tomándole la delantera.

El sol se acababa de meter, era aquella hora donde todo se tiñe con el mismo tono azuloso; su cuerpo se fundía en la incipiente penumbra, mientras yo le desabrochaba el pantalón, rasguñándole la espalda por debajo de la camisa. Quería evitar más retrasos, deseaba tenerlo dentro de mí cuanto antes. Casi como si esa penetración viniera a confirmar mi sometimiento al sexo masculino.

No nos pronunciamos hasta que la pregunta que condiciona el *eros* moderno salió, como una habitual cantilena, de mi boca:

—¿Traes condón? —no tenía costumbre de comprarlos y

dejaba esos menesteres a mis contrapartes. Me parecía suficiente vulgaridad ensuciar el deseo de esa forma.

Extrajo su cartera del chaleco que aún llevaba puesto y de allí sacó el dispositivo, tan plástico y desechable como mis relaciones amorosas. De ahí en adelante cada gesto se limitó a la rutina de esos encuentros.

Estaba doblada hacia la ventana, viendo la explanada; mis dos brazos abiertos, las manos sosteniéndose en los tubos del radiador, cuando sonó el teléfono. Yves llevaba un rato penetrándome.

—No contestes —me susurró al oído mientras me ponía el pelo detrás de la oreja.

—Ninguna intención —jadeé.

Oí la voz de Peter grabarse en el contestador:

—Perdón que me reporte hasta ahora. Acabo de escuchar tu mensaje y soy yo quien quiere saber de Diana. Se despidió de mí hace cuatro meses, diciéndome que yo ya no cabía en su vida. Lo último que supe es que estaba feliz con Yves, a punto de casarse con él. Con ese neurótico... En fin… ¡Llámame!

Levanté la cabeza, como para entender mejor. Yves me sujetó por la espalda, en una maniobra ingeniosa. Una parte de su cuerpo seguía adentro del mío cuando sentí un frío acerado en mi mano izquierda y un doble *clic* en el pulso. Afianzado con sus manos a mi cintura Yves pegó su boca como una ventosa a mi cuello y aceleró sus golpes de tal manera que alcanzó el orgasmo. Al despegarnos, encontré mi mano izquierda sujeta con unas esposas al tubo del radiador. En ese instante, con otro de esos artefactos metálicos, inmovilizó rápidamente mi mano derecha. Ni tiempo tuve de gritar cuando ya estaba amordazada con su pañuelo en mi boca.

Entonces se fue a tender en el sofá, las piernas desnudas, la camisa y el chaleco aún puestos. Me miraba impávido mientras se quitaba el preservativo.

Después de un breve rato sin mirarme, se puso sus *boxers*, el pantalón, los zapatos sin calcetines. Cuando estuvo listo, buscó mis ojos y dijo:

—Bienvenida a la libertad —y desapareció.

Por un rato escuché ruidos provenientes de mi cuarto antes de verlo pasar arrastrando mi *set* completo de maletas. Antes de salir se asomó de nuevo a la sala y, como si hubiera olvidado mencionarlo, dijo:

—Por cierto, Balzac soy yo.

Después vino el silencio.

SEGUNDA PARTE
El amor

¡Cuántos he visto morir por mí! Y los he despreciado, ¡pero te temí a ti!
Había en los ojos tuyos la luz de los héroes.
Había en los ojos tuyos la soberbia certidumbre... Y te odié por ella...
Y por ella te amé, atormentada y dividida entre dos terrores iguales:
vencerte o ser vencida... Y vencida soy...
***Turandot,* Giacomo Puccini**

Orta sole vita nova uncipt.
Finca Son Coll, **Port d'es Onges, Palma de Mallorca, España**

XXI

La condena del libre albedrío
28 de agosto, unas horas después, 2002

Uno

Pasaron muchas horas antes de que Yves regresara. Tiempo en el que reflexiono sobre mi vida y hago suposiciones sobre mi destino y el de Diana, todas las cuales conducen a un único resultado posible: mi inminente fin. Hasta esa enigmática frase: "Bienvenida a la libertad", mis ataduras y la desaparición de mis pertenencias me alertan a que pronto seré liberada de mi vida, ¿qué otro acto puede ser más liberador que la muerte?

Oigo girar la cerradura. Me levanto con esfuerzo del piso, mientras mi presión sanguínea se acelera. Lo escucho cerrar la puerta tras él, entrar en la cocina, abrir el refrigerador, prender la lámpara junto al sofá y atravesar la estancia, antes de ver que se acerca. Mi cuerpo, de tan cansado, no lo siento, la mente opera con dislexia y el pavor transpira por mis poros.

—Debes de estar hambrienta... —me dice mientras introduce la llave en las esposas y me libera del radiador—. Tendrás que ir al baño antes de comer.

Asiento con la cabeza, encaminándome hacia el cuarto, y él me sigue. Su pañuelo continúa en mi boca cuando tomo asiento en el excusado y dejo correr la orina.

—Ponte esto —me dice, aventándome mi bata japonesa que compré hace años en un puesto de curiosidades orientales, en el *Marché aux puces*[21].

Tiro el pañuelo al piso, distendiendo poco a poco la quijada, que de nuevo se acostumbra al movimiento, y me arropo con la bata.

—¿Por qué te lo quitaste? —su voz ha adquirido un tono amenazante.

—¿No voy a comer? —le rebato con ronquera.

—Sí, pero cuando yo te lo diga —afirma, endureciendo la expresión de su rostro con cada palabra.

—Tengo que hablarte... —suplico, extrañada por su cambio de actitud.

—Antes de que tú hables quiero que me escuches —y me vuelve a colocar la mordaza y las esposas, ahora atando mis dos manos a la espalda.

Me deja sola y no me queda más que limpiarme como puedo. Sin encender la luz de la habitación, me detengo un momento en la ventana y miro Montmartre iluminarse. No entiendo lo que está pasando, pero sé que mi única preocupación ahora debe ser salir de allí.

---

[21] Mercado de las pulgas.

Con la bata semiabierta y los pies desnudos me asomo a la cocina. Yves se ha arremangado la camisa y, con un cuchillo descomunal, rebana un filete sobre una tabla de madera. Sin soltar el arma, viene a mi encuentro y siento la saliva agolparse en mi garganta.

—Las explicaciones son para después, *d'accord*?, ahora hay que comer —dice, mientras apoya la hoja de metal sobre la mesa, limpiándose las manos en el mandil, justo antes de tomar el cinturón caído y amarrarme la bata.

—Siéntate —me ordena.

—¿Te gusta el *boeuf à la moutarde*?[22] —sin esperar mi respuesta, que por otra parte sólo se podía limitar a un movimiento de cabeza, continúa—: Es mi especialidad. Bueno, en realidad, en materia culinaria es lo único que me sale bien.

Yo sigo de pie en el marco de la puerta, decidiendo si intentar algún tipo de escape o esperar una mejor oportunidad. Me resigno a obedecer y me siento.

El fuego de la estufa está encendido y el aroma de la cebolla dorándose en el aceite impregna el ambiente. No como carne hace años, desde que me convencí de que las toxinas animales son nocivas para la salud. Ese olor grasoso me marea.

Una botella de vino abierta reposa sobre la mesa puesta, Yves me sirve una copa y me la pone en los labios. Bebo su contenido de un solo trago. Tengo sed, aunque no de alco-

---

[22] Carne de res a la mostaza.

hol, pero no me atrevo a contradecir su propuesta y, con la tensión de esa noche, un relajante le vendrá bien a mi cuerpo extenuado. Debe haber leído mi pensamiento porque me ofrece un vaso con agua, que me tomo deprisa. Después se sienta a mi lado.

—Necesito ser entendido. No quiero ser juzgado —y con un gesto displicente se mira las manos.

Entonces, justo cuando pienso que me va a confesar un crimen, el aceite comienza a salpicar e Yves se levanta a poner la carne en la sartén.

—La receta es fácil: mostaza abundante y una pasada de cada lado —me alecciona colocando dos medallones en cada plato—. El secreto está en la mostaza —y me enseña un bote color amarillo vómito sin descripción alguna.

—*Et voilá!* Está hecho —dice poniéndome enfrente mi ración.

Saca de la bolsa de sus pantalones la llave con la que abre las esposas:

—No vas a hablar y comerás todo.

La carne está demasiado cruda para mi paladar vegetariano, pero me aguanto. Callados, comemos y tomamos vino. Apenas termina su plato y acaba de vaciarse la última copa de tinto, Yves pronuncia las palabras que menos esperaba oír:

—La culpa la tuvo Peter...

Aprovecho de inmediato para preguntarle:

—¿Qué pasó?

Voltea a verme con sus ojos grises, con la misma mirada de odio de su póster en la librería *Galignani*, cuyo tono me recuerda tanto a los de mi padre, y se queda callado.

—¿Dónde está Diana? —le pregunto con ligereza, como para incitarlo a hablar. Al oír ese nombre da un golpe encima de la mesa que retumba junto a mi corazón.

—Todavía no has entendido: tú puedes hablar sólo cuando yo lo diga —dice con dureza, para después empinarse el resto del vino.

Despeja la mesa, mientras lo miro asustada. Cuando termina, saca una botella de champaña del refrigerador.

—Hubiera podido convertirme en un asesino —descorcha la botella, quitando cuidadosamente la lámina acerosa que envuelve el tapón del cuello de cristal.

—Pero no fue así —y sirve dos *flutes* hasta el tope—. Vale la pena festejar, ¿no crees? —levanta la copa de cristal cortado, que debió de traer de su casa, y la choca contra la mía, en un festivo sonido que me evoca la Navidad, provocándome una tristeza inmediata. Una lágrima quiere recorrer mi mejilla al recordar todas esas nochebuenas heladas, sin mimos, ni regalos, ni mentiras, pero no la dejo—. ¡Brindemos! Porque *no* soy un asesino.

No entiendo si es una burla o pretende asustarme más de lo que ya estoy. Decido no averiguar y bebo en silencio. Al terminar mi copa la vuelve a llenar y bebemos de nuevo. Para los niveles de alcohol que tolero, me encuentro muy pronto cerca de la ebriedad. Yves se levanta de su silla con la copa en la mano.

—Deberías de estar contenta —y se acerca a mí.

—Lo estoy —respondo cada vez más confundida.

—Cállate —y sin soltar su champaña se agacha a besarme.

En mi aturdimiento su beso me parece tierno y lo correspondo con menos angustia. Yves deja la copa vacía en la mesa, gira mi silla y me desamarra la bata; sus dedos me recorren el torso hasta llegar a mi sexo, que está mojado.

Se arrodilla frente a mí sin dejar de besarme y empuja mi espalda baja hacia adelante, hasta que quedo ubicada casi en la orilla del asiento. Luego de agitar la botella la introduce en el orificio entre mis piernas y la va levantando, vaciándola poco a poco dentro de mí. Al extraerla, mi sexo chorrea burbujas y placer. Yves recoge el líquido que sale con su vaso, que mantiene debajo de mis muslos con una mano, mientras se lame los dedos de la otra.

Levanta la copa para brindar. Bebe y después me la ofrece:

—*Kir mademoiselle?*

Bebo. Vuelve a llenar la *flute*, a tomar de mí, de ella, a ofrecerme y yo a beber.

De esa noche es todo lo que recuerdo.

XXII

La condena del libre albedrío
28 de agosto más un día, 2002

Dos

Amanezco en mi cama, arropada en el edredón de siempre, la bata aún puesta, el cuerpo pegajoso, la cabeza machacando pensamientos confusos y una mano atada a la cabecera.

Mi boca está cubierta por una cinta adhesiva; la arranco sin dolor y pego uno de sus extremos sobre la mesa de noche, en la que Yves me ha dejado un jugo de naranja, una jarra de agua y un *pain aux raisins*. Mi estómago cruje y tengo sed. Me trago el agua, me alimento y me doy cuenta de que en la cómoda, al otro lado del *queen size*, hay un látigo, una lujosa *cravache* en piel natural con un mango largo de caoba oscura que culmina en una esfera de plata labrada. Junto a ese instrumento de tortura ecuestre reposa silencioso el teléfono. Después de rodar sobre mí misma, descuelgo el aparato sin línea. Lo jalo y el cable cortado sube coleando a la cama.

Esto va en serio. "¿Cuánto durará esta versión, francesa y macabra, de *Nueve semanas y media*?", pienso al borde de la impotencia. Lo peor es que en otro momento o circunstancia el asunto me hubiera parecido tan sólo un juego erótico ocurrente. No soy ajena a ciertos maratones sexuales, ni es la primera vez que alguien me amarra a una cama o introduce en mi cuerpo algo distinto a un miembro masculino. La cuestión es que no confío en Yves: aun admitiendo que no fuera un criminal y que Diana estuviera ahora mismo amarrada, con propósitos sensuales, en algún otro sitio. ¿Quién me asegura que Yves no va a hacerme daño? Sin contar que él mismo me confesó que podía haberse convertido en asesino. Lo peor de todo es que, al vivir con un dolor tan arraigado, lo estaba disfrutando. Sí, creo que en el fondo me regocija estar sometida a otra persona, con la carga de humillación que eso implica.

Un hormigueo helado me recorre. Es entonces cuando lo descubro, en la abertura de mi bata. Un mensaje escrito sobre mi cuerpo, en plumón negro y letra de molde, se asoma justo arriba de la línea de vellos que delimitan mi pubis. Abro ambos lados del kimono y lo puedo observar completo: "Desfloraré tu alma", dice el texto, que va desde mi cadera izquierda hasta la derecha, cruzando todo el vientre.

"¿Pero, qué se cree este imbécil?"

Miento madres, cada vez con más violencia, mientras jalo las esposas con coraje. De pronto se oye un rechinido, luego otro, y me percato de que la cabecera, que está atornillada a la pared, va cediendo a mi enojo y se despega poco a poco del muro. Jalo más fuerte, ahora con todo el cuerpo y, después de un breve forcejeo, se desprende por completo. Poseída por una furia incontrolable y con la cabecera de latón arrastrando sigo mi intento de escape hacia la entrada principal, llevándome en el camino el *abat-jour*, la jarra de cristal y lo que queda del jugo. También rayo la puerta de la recámara, arrugo el tapete del pasillo y golpeo cada pared a mi paso; todo esto para encontrar el acceso atrancado. Grito.

Nada. Regreso al salón, remolcando la cabecera que tumba cuanta cosa queda en mi camino: me aproximo al ventanal. La Explanada de los Inválidos me extiende una sonrisa bañada por un sol veraniego, desentendiéndose como siempre de mi sufrimiento. Un grupo de jóvenes *boy-scouts* marcha en la banqueta de la avenida *Maréchal Galliéni*; los jugadores de petanca, inmersos en el juego, tiran sus pelotas con el empeño habitual, mientras que un perro bastardo se mea sobre el pasto. Intento abrir la ventana que da al balcón, pero parece estar trabada o, tal vez, cerrada con llave.

En un ataque de locura, azoto varias veces la palma de mi mano izquierda, la única libre, sobre el cristal. El último golpe lo doy con la muñeca y con todo el odio que traigo dentro: hacia Yves, hacia mi padre, hacia mis amores pasados, y hacia ese universo de vidas que me mira sin verme. Es un odio tan grande que uno de los cristales que conforman el vidrio doble, se quiebra. Mi mano sangra en abundancia cuando decido recapacitar; mi intento es inútil y sólo me lastima. Por un momento me da tanto miedo gozar de ese dolor, admitir finalmente el masoquismo que padezco, que mejor adoso la cabecera contra la pared y concluyo la aventura. Mi muñeca derecha, de tanto jalar, trae llagas, la izquierda chorrea sangre, y yo, más frustrada que nunca, opto por tirarme al piso. "Para cuando regrese el estúpido, ya me habré desangrado", pienso, mientras apoyo mi herida abierta sobre el estómago que se embarra de rojo, por la sangre, y de negro, por la tinta. Permanezco un rato así, sosegada por el susto. Una voz me devuelve a la escena:

—¿Qué hiciste? —grita Yves alteradísimo.

Me quedo callada.

—¡Contéstame! ¿Estás bien? ¡Contesta!

¿Oigo correctamente? Yves no sólo está apanicado, sino que ahora, después de tanto ordenarme que guardara silencio, me ruega que hable.

—¿Te duele? —repite al liberarme la mano aún atada, taponeando mi herida con su camisa.

—Claro que me duele, desgraciado. ¿Qué crees que soy de plástico? —y me pongo a remedarlo—: "¿Te duele?"

Él ya no puede oírme. Ha salido de prisa, dejando la puerta abierta de par en par.

Es el momento de huir. Me pongo de pie y el cuarto comienza a dar vueltas a mi alrededor: antes de caer al suelo veo los muebles hostigarme y siento los pedazos de vidrio adherirse a mi cuerpo. Estoy a punto del desmayo, aunque mi mente sigue estando bastante lúcida; tan sólo no tengo las fuerzas para moverme. Yves regresa con un botiquín de primeros auxilios y vuelve a dejar la puerta abierta. Yo finjo estar inconsciente y mantengo los ojos cerrados.

Con el pulso nervioso y mirando en dirección opuesta, derrama desinfectante sobre la herida y me hace una precaria curación en la muñeca más lastimada. Tengo ganas de reírme. ¿Cómo pude creer que me iba a desmembrar como una res en el matadero, si no tolera ni la vista de la sangre? Para concluir el cuadro, se le ocurre levantarme en brazos, y como es más delgado que yo, casi pierde el equilibrio. Al fin me alza del suelo y me lleva hasta la habitación. Apoya mi cuerpo sobre la cama, haciendo acopio de cuanta delicadeza le es posible. Yo continúo con los ojos cerrados cuando le oigo decir:

—¿Doctor Framont? —al abrir los párpados lo veo hablando por su celular—. Necesito que venga ahora mismo. Una amiga se cortó con un cristal. No tarde, por favor.

Para cuando cuelga he vuelto ya a mi posición de muerta en vida, pupilas ocultas, articulaciones despreocupadas. Yves se sienta en la cama. Tengo ganas de humillarlo, de pegarle, de no rendirme, pero me acaricia la mejilla y luego el cabello. Percibo la ternura filtrarse en su sadismo y un poco de amor se escapa de la jaula donde lo tengo resguardado. No hay una razón precisa para que lo deje salir: tal vez no tengo otra opción. Tal vez es que un simple gesto puede cambiar el curso de las cosas.

XXIII

La condena del libre albedrío
28 de agosto más un día y algunas horas, 2002

Tres

El doctor Framont es un hombre distinguido. Debió de ser guapo hace muchos, muchísimos años. Ahora tiene el pulso desbocado, anteojos de fondo de botella, el cabello amarillo de tanto peinarlo y una incipiente sordera. Al principio de la visita se entretiene hablando de caballos y de jardines, antes de asegurarle a mi celador que mi estado no es grave. Al verlo proceder con la curación, me hago la dormida, pero apenas Yves se va a preparar un té de manzanilla, comienzo a jalar el saco del viejito:

—Doctor...

—¿Cómo se siente? —me pregunta, mientras continúa su labor.

—Bien, pero estoy secuestrada...

—¿Cómo dice? —repite, sin alcanzar a oírme.

—Estuve atada toda la noche —le digo con un tono de voz más alto y con la esperanza de que Yves no me escuche.

—Sí, pero ahora debe reposar.

—Usted no entiende. Me lastimé intentando escapar —le digo.

—No se debe preocupar, sólo reposar —es evidente que no me oye bien o no quiere hacerlo.

Además, mi intento es tan débil como inútil. Hasta parece que la condición de prisionera me empieza a acomodar, tal y como los perros se van rindiendo al cuidado de sus amos, inclusive cuando no son particularmente bondadosos.

Yves reaparece y yo vuelvo a hacerme la moribunda. El médico, como se acostumbraba hace muchos, muchísimos años, me receta una alimentación sustanciosa y reposo, para reparar la pérdida de sangre. "Sobre todo por el susto", dice ayudándole a Yves a cerrar las cortinas.

—Está incluso un poco delirante —murmura en tono más bajo.

Monsieur Framont sale del cuarto acompañado por Yves, quien lo invita a tomarse su infusión en la sala. Me quedo sola y al poco rato oigo que la puerta se cierra. Comienzo a escuchar ruidos de ollas provenientes de la cocina y me llega un aroma a queso fundido.

Y ahora que estoy libre de mis ataduras, ¿a quién le puedo contar mi aventura? ¿A la portera, que se hubiera dejado amarrar y tal vez hasta matar por su patrón? ¿A Carolina, que es capaz de pedirme que se lo presente? ¿A mi padre, que sólo estaría curioso por saber si lo había disfrutado? ¿A la policía?

"Joven mexicana denuncia al escritor Yves, Marqués de Hermonville, por haberla amarrado durante una noche de pasión." Me imagino los encabezados, así como a todos los habitantes de Francia carcajeándose, tal cual se habían reído, por ejemplo, del escándalo Lewinski. Y eso que en esa historia el protagonista es un presidente que tiene una empleada dándole mantenimiento a sus genitales, bajo el escritorio donde, a diario, se decide el futuro del mundo. No, a los franceses la vida sexual de sus semejantes sólo les interesa, si es divertida, para inspirarse en ella.

¿Quién me creería que fui víctima de un secuestro? Si hasta yo ya lo estoy dudando. Para confirmar mis pensamientos veo sobre el buró las esposas con las cuales Yves me ató. Son unos inofensivos juguetes con incrustaciones de cristales colorados de Swarovski, y reconozco la obra de la artista rusa Irina, cuya exposición vi hace tiempo en una galería del *Marais,* y quien puso de moda estos brazaletes penitenciarios.

Yves entra con una bandeja: en el centro, reposa un *soufflé* humeante. La cena también incluye una tarta de manzana, ensalada verde, un vaso con agua y una copa de vino tinto.

—Estoy muy enojado —me reclama en tono tranquilo al ponerme la charola en las piernas.

—¿Por qué? —aventuro.

—No subió el *soufflé.*

—Nunca has visto uno de los míos —digo mirando el *soufflé* ligeramente desinflado.

—No... No es ese el motivo de mi enojo.

—¿Entonces?

—Estoy encabronado contigo.

—¿Por qué? —persisto.

—¿Cómo se te ocurrió romper el vidrio? —y se sienta en la cama.

—No me dejabas ni hablar. ¿Acaso pensaste que iba a intentar huir de manera correcta y razonable?

—¿Para qué quieres hablar? Lo único que quiere todo el mundo es hablar, hablar, hablar. Y escuchar ¿cuándo?

—Pero me amarraste...

—Te amarré, pero te dejé el desayuno.

—¿Qué tiene que ver eso?

Estoy asombrada: justo cuando empiezo a creer que todo este fandango no es más que un juego, él me lo viene a corroborar.

—Si fui algo impositivo, te tuve todas las consideraciones.

—¿Impositivo? ¿Así calificas esposar a alguien a quien apenas conoces?

—Te quería contar lo que pasó con Diana.

—¿Y para eso me ataste?

—Te até para que te sintieras más libre.

—¿Amarrada?

—Come. Ya oíste al doctor. Además estás muy flaca.

¿Flaca? ¿De dónde? Ahora sí se estaba pasando, aunque tengo que admitir que fue la mejor estrategia para calmarme.

—¿Y tú? ¿No vas a comer? —pregunté dejando derretir el queso en mi boca.

—Voy a salir; ya no hay provisiones y, además, tengo algo que hacer.

—¿Regresas?

—En un rato, y con la historia de Diana —dice, guiñándome un ojo—. Come y descansa, *d'accord*?

Le hago un gesto con la mano derecha y me sonríe. Nunca antes lo había hecho enseñando toda su dentadura, y no sé por qué me entra un repentino buen humor. Tal vez porque me encuentro plácidamente metida en una cama después de haber pasado horas muy incómodas, o a lo mejor porque alguien cree que estoy flaca e insiste en darme de comer. Cansada de tanta angustia, me duermo.

XXIV

La condena del libre albedrío
28 de agosto más un día y muchas horas, 2002

Cuatro

Apenas despierto, me levanto para dirigirme a la puerta: está cerrada. Voy a orinar y aprovecho para abrir las llaves de la tina: me siento sucia y quiero limpiarme; ahora entiendo el castigo de *Sainte Radegonde*, quien se mortificaba no aseándose. Derramo en la tina un poco de jabón líquido y dejo correr el agua caliente; tengo diversos dolores en todo el cuerpo y las vendas de las muñecas manchadas de sangre. Si alguna vez pretendo suicidarme, no voy a elegir cortarme las venas; es un método demasiado realista. Al entrar a mi clóset lo encuentro vacío; hay solamente un pantalón de mezclilla, unas cuantas playeras y un par de tenis. Desolada, me siento en la cama y mi vista se posa sobre el baúl. De pronto, me entra la curiosidad por conocer su contenido. Voy por un cuchillo y forcejeo la cerradura sin resultado. En eso oigo que Yves regresa, guardo el arma debajo de la cama y voy a su encuentro. En la cocina él se afana guardando los víveres y yo me siento a la mesa, sin entender aún cómo habíamos llegado a esa familiaridad. Entonces me atrevo a preguntarle sobre mi ropa.

—La regalé —me dice sin culpa alguna.

—¡¿Cómo?! —pregunto compungida.

—Te dije que te iba a liberar...

—No lo puedo creer, ¿y las maletas?

—Es patético usar un equipaje con las iniciales de otra persona.

—¿Y mis zapatos? —despotrico cada vez más alterada, constatando la pérdida más dolorosa.

—Es por tu bien —Yves mantiene la calma.

Entonces suena el interfón y nos miramos como si nos hubieran descubierto.

—¿Contesto? —no sé ni por qué le pido permiso.

—Adelante —me responde.

Levanto el auricular:

—¿Quién?

Era Carolina.

—No... es que estoy trabajando —ella sabía que yo usaba ese verbo cuando estaba escribiendo y/o pretendía no ser importunada—. No, el teléfono se descompuso. Yo te busco luego.

Me vuelvo hacia Yves y entonces me acuerdo.

—¡El agua! —voy corriendo al baño para cerrar las llaves, pero la espuma ha sobrepasado los bordes de la tina que chorrea jabón. Yves me sigue y acciona de inmediato el mecanismo que vacía la bañera. Después, arrodillados uno frente al otro, nos ocupamos de secar el piso mojado. Cuando me paro a cerrar el tapón mecánico, la tina todavía tiene el agua suficiente para darse un baño. Yo continúo enfundada en la mugrienta bata japonesa de la noche anterior, con la panza batida de tinta y de sangre. A punto de desvestirme, Yves me detiene:

—¿Sabes por qué Napoleón enviaba sus emisarios a Josefina para avisarle que estaba por llegar?

—No —contesto sin interés, aún sentida por la pérdida de mis pertenencias.

—Para que no se bañara —dice, buscando con la mirada mi reacción.

No le respondo. Estoy por introducir una pierna a la tina, cuando él me detiene de nuevo, ahora con ambas manos.

—Espera —y desaparece para volver con dos bolsas de plástico. Me quita la bata tomándola del cuello, por detrás, como si fuera un caballero retirándome el abrigo y yo estuviera completamente vestida. Sin mirar el resto del cuerpo me envuelve cada mano protegiendo mis curaciones.

Entonces entro en el agua que aún está muy caliente. Dejo correr un poco el agua fría. Espero un rato, aguantando el dolor que me llega hasta las rodillas y de allí a las orejas. En cuanto puedo, me sumerjo, hasta la altura de mi cuello, que apoyo hacia atrás para mojarme también la melena. Apenas vuelvo a sacar la cabeza, tengo una leve sensación de náusea; todavía estoy algo débil, pero encuentro las fuerzas para preguntarle:

—Ahora sí, ¿me vas a decir qué pasó con Diana?

—Creo que me gustabas más amordazada —dice, al sentarse en la silla del vestidor.

—Me muero por saber —apoyo mi espalda en el interior de la bañera, dejando caer mis brazos sobre el borde.

—Se fue.

—Dime la verdad —lo interrumpo al ver que tarda demasiado en contestarme.

—Se fue —continúa con la misma lentitud.

—¿Adónde? —lo apresuro nuevamente.

—A *l'enfer* —concluye pensativo.

—¿Me vas a decir o qué? —lo miro desde el borde de mi enojo y se da cuenta de que no puede prolongar más el suspenso.

—Se fue a Londres.

—¿A qué?

—Más bien, ¿con quién?

—¿Con otro? —intento adivinar lo obvio.

—Con otra.

—¡¿Con otra?!

—Peter tuvo la culpa —Yves se pone ahora de pie para arrodillarse a mis espaldas—, aunque con Peter todo acabó pronto, a pesar de su obsesión por Diana y su insistencia por acosarla. Le tuvimos que inventar que nos casaríamos para quitárnosla de encima —me cuenta mientras me pone champú.

—Gracias —dije, dejándolo masajearme el cuero cabelludo—. ¿Cómo es que todo acabó tan pronto?

—Desde tiempo atrás Diana tenía curiosidad por un *three-some*, cuando conocimos a Peter.

—Ajá, ahora resulta que a ti ni se te antojaba —Yves empieza a enjabonarme el cuello con energía.

—De hecho, Diana prefería otro hombre, fui yo quien la convenció de que si iba a haber un tercero, fuera mujer.

—Fantasía clásica del sexo masculino. ¿Por qué son tan predecibles?

—¿Qué fantasía? He estado en muchas ocasiones con dos mujeres, y más, y la verdad no es algo que me interese especialmente. Además, cuando amas a alguien, no lo quieres compartir con nadie.

—¿Y tú amabas a Diana?

—A veces —Yves me toca el cuello que ya no tiene jabón y percibo en sus movimientos un cierto nerviosismo. Me vuelvo hacia él.

—Me lastimas —le digo antes de enjuagarme el pelo en el agua—. ¿Entonces con quién se fue Diana?

—Con una amiga de infancia, alguien con quien de niña había tenido una relación entre platónica y experimental. Después del *affaire*, Diana tenía muchas dudas sobre lo nuestro: Peter le abrió una nueva perspectiva que no se había atrevido a explorar hasta entonces.

—Ah.

—La amiga dejó al marido y ahora viven juntas en Londres.

—Mi hermano es *gay* —no sé por qué se lo suelto tan súbitamente, si nunca se lo cuento a nadie.

—¿Y?

—Y mi papá puto.

—Lo siento.

—La homosexualidad como tal no existe, tampoco la bisexualidad ni nada de eso. "Homo", "bi" y todo lo que se anteponga a la palabra sexualidad es sólo una parte de ella —quise sorprenderlo con mis teorías.

—El lesbianismo viene de una raíz etimológica distinta.

—Es cierto —constaté—. A lo mejor las mujeres nos queremos más de lo que quisiéramos.

De pronto me da ternura y tengo ganas de besarlo. Me ofrece una toalla, le ofrezco mis labios y me levanta en brazos. Envuelta como un recién nacido, me deja sobre la cama y empieza a hacerme el amor, lenta y convencionalmente. Seguimos discutiendo el punto de la sexualidad mientras practicamos la más tradicional de todas.

—¿Te puedo hacer una pregunta? —le digo al tenerlo encima, entrando y saliendo de mí.

—Ya preguntaste demasiado por una sola noche —jadea metiéndose hasta el fondo.

—Te prometo que no tiene nada que ver con Diana —le aseguro, concentrándome en mi vagina.

—Dime —se resigna, moviéndose en forma elíptica entre mis piernas.

—¿De veras crees que no estoy gorda? —a Yves le da risa y se deja ir de lado, sin salirse de mi cuerpo.

—Creo... —continúa riéndose.

—Piensa bien lo que vas a contestar —lo amenazo, colocándome ahora arriba de él y moviéndome más rápido. No puedo apoyar las manos en ninguna parte, pues aún me duelen, así que las mantengo en el aire como si estuvieran llevando las riendas de un corcel imaginario. Hago fuerza con el estómago para mantener el equilibrio hasta que Yves, cada vez más excitado, me agarra de la cadera poniendo sus dedos abiertos en mis nalgas, las palmas cómodamente sujetadas a mi gordura, mientras me agita con movimientos secos para adelante y para atrás.

—Creo... que eres... perfecta.

Para ese entonces ya estoy consciente de que por este hombre voy a sufrir, y concluyo que más vale que ese dolor me procure algún placer; apoyo mis manos lastimadas en sus hombros y me lanzo a un galope forzado. Mis muñecas se humedecen, tal vez es sangre, o sudor, no puedo saberlo en esa penumbra y con tanta excitación erizándome la piel. Al fin viene el orgasmo. Al oírme jadear él deja de contenerse, me empuja hacia adelante para venirse en mi vientre justo después de mí, mientras repite la palabra "perfecta" en mi oído a cada una de sus contracciones. Rendidos, deslizo mi pecho sobre el suyo y permanecemos en esa postura por un largo rato, sin querer salirnos de ese pequeño espacio de perfección que hemos encontrado. Así retozamos hasta la noche, cuando nos levantamos a cenar: té verde al jazmín y un menú número tres para dos entregado por el restaurante chino de la esquina. Luego nos dormimos, por primera vez, en la misma cama. Más bien ese hubiera sido mi deseo. Dormir con alguien es para mí una especie de suplicio, y esta vez no fue la excepción. Me es muy difícil conciliar el sueño en presencia de otra persona; es un momento de tal abandono y de tal fragilidad que no logro compartirlo con nadie. Tampoco quiero molestarlo, así que me esfuerzo por permanecer quieta, observando un punto fijo; mientras, cuento petancas: del uno al cien y de vuelta.

A la enésima repetición comienzo a moverme menos discretamente. Él ya cayó rendido y, a pesar de una que otra patada que le doy sin querer, ni cuenta se da de mi fastidio.

Cuando me ataca ese tipo de angustia mi única alternativa es intentar cansarme con alguna actividad devastadora o esperar pacientemente a que el sueño aparezca. Eso sucede casi siempre en la madrugada, a la hora en que es más propio levantarse que dormirse. Con el primer rayo de luz, cierro los ojos y me pierdo en una pesadilla hecha de persecuciones en triciclos espaciales, cuchillos voladores, perros que se mean en mis piernas y otros alucines que, por fortuna, sólo el inconsciente es capaz de albergar.

Despierto justo antes de que un extraterrestre bicéfalo me bese a la manera de su planeta. Veo el reloj marcar las nueve de la mañana; Yves no está a mi lado, ni hay desayuno en el buró, y la habitación sigue en la penumbra.

Trato de incorporarme, pero mis pies están amarrados a la parte baja del armatoste que conforma la cama. Levanto la espalda y quedo sentada en el centro del colchón, mientras miro mis extremidades inferiores, tratando de acostumbrar los ojos a esa mínima luz.

—Yves, Yves —grito varias veces en el departamento vacío.

XXV

La condena del libre albedrío
28 de agosto más dos días

Cinco

No logro entender la razón del nuevo castigo. Por un rato se me antoja imaginarme alguna simpática sorpresa de carácter sensual. Sin embargo, poco a poco la frustración me invade y la escena de la noche anterior se repite: doy vueltas y vueltas en el espacio en el que estoy confinada, sin encontrar acomodo alguno. Recuerdo el cuchillo debajo de la cama e intento recuperarlo inútilmente. De cualquier modo, ¿para qué lo quiero? ¿Para matarme? ¿Para matarlo? Esos pensamientos terminan por apagarme. Comienzo a sentir hambre, calor, odio, sed, frío y, mientras tanto, el tiempo transcurre.

Cuando el reloj fosforescente marca las doce con quince ya no aguanto y me orino, deslizándome después al lado limpio de la cama. Prendo la lámpara y noto que la *cravache* ha desaparecido del buró sin que nadie la usara. En su lugar hay un plumón. No tengo papel, pero Yves me ha dado una idea: voy a entretenerme escribiendo sobre mi cuerpo. Al inicio, pinto dibujitos infantiles, una flor por ahí, una carita por allá; al rato le voy tomando gusto y me animo a garabatear algunas incoherencias en mis brazos. Palabras sueltas, sin sentido aparente, aunque estoy segura de que cualquier psiquiatra vería en ellas datos reveladores. Poco a poco, armo frases completas, ahora también en mis piernas. Escribo en la parte interna de mis muslos, de tal manera que con un solo movimiento, pegándolos entre sí, puedo cerrar ese improvisado libro y ocultar mis apuntes.

Yves entra a la recámara cuando ya me aburrí de pintarme, de pensar y hasta de sufrir las inconveniencias de mi postura. Es casi el atardecer y para entonces estoy en verdad furiosa.

—¡¿Por qué carajo insistes en amarrarme?! —le grito alterada.

—Para que no te vayas —contesta mientras sube las cortinas.

—¡¿Cómo me voy a ir si aquí vivo?!

—La verdad es que te quiero matar —dice, mirándome a los ojos.

—Y ahora ¿por qué? —lo reto.

—Porque te has portado mal.

A pesar de lo absurdo de sus palabras su tono había adoptado una seriedad tal que le empiezo a creer.

—No estoy para bromas —lo agredo sin pensar en las consecuencias.

—Ni yo tampoco —el enojo no me permite ver más allá de su negación.

—Estás loco —lo acuso.

—Sí —dice sin inmutarse y cambia de tema—. ¿Tienes que ir al baño?

—Ya fui —le señalo con aires de víctima la sección de la cama que está manchada.

—Ni modo. Ahora lo importante es que voy a hablar contigo —se me acerca con la cinta adhesiva en la mano— y necesito tu máxima atención.

—¿Qué es eso? —y señala la palabra "trampa" escrita en mayúsculas en mi antebrazo, mientras yo me cubro con el edredón.

Apenas trata de taparme la boca, me defiendo empujándolo y él me da una bofetada tan sorpresiva que me aplaca. Me pone sobre los labios un pedazo de cinta médica adherible, esposa mis manos a la cabecera superior, me acomoda unos cojines en la espalda y apaga la luz. Después va a sentarse a la silla de mi escritorio. Para cuando comienza a hablar, mi mente apenas reacciona ante los hechos: Yves me había abofeteado.

—Sé que abriste la carta que me envió Diana —el latir de mi corazón se acelera y me sonrojo, un poco por la pena de haber sido descubierta, y un poco por la marca que me produjo el golpe.

—Y que entraste a mi departamento. Tengo un sistema de circuito cerrado; lo instalé para obtener el seguro contra robo de algunos cuadros —para entonces mis mejillas están por explotar de tanta sangre que se les amontona.

—La alarma no se activó porque entraste apenas después de *madame* Graccard que, despistada como es, dejó la puerta abierta. En el avión, durante el viaje a Poitiers, sin querer vi la carta en tu bolsa y supe que no sólo habías traspasado mi casa, sino que fisgoneaste en mi intimidad —hace una pausa y se acerca para cruzar su mirada con la mía. Mi vergüenza es mayúscula, y ahora percibo una extraña fragilidad pegarse a mi piel. Pero él no parece estar preocupado por mi miedo y se dirige hacia la ventana.

—Al principio tuve ganas de reclamarte, pero acabé prefiriendo la venganza. Me sentí ultrajado por tu impertinencia y con derecho de hacerte lo mismo. Al dejarte en Poitiers, volví a París y usé las llaves de los porteros para entrar a tu casa.

"Se metió a mi casa", pienso, sintiéndome más desnuda de lo que estoy.

—Comencé leyendo tus apuntes y el borrador de tu novela, donde me enteré de tus sospechas sobre mí. No tengo excusa para justificarme, me bastó recordar que tú te llevaste mi manuscrito, el que firmé como Elisabeth Butterfly —ya no me mira; sus ojos se pierden en Los Inválidos y sigue hablando:

—Cometer un acto reprobable abre la puerta al siguiente; es como si llegar más allá de lo imaginado te llevara, sin remedio, a dar un paso todavía más lejos —Yves sigue viendo la ventana. Yo continúo con los pezones erguidos en la humillación y cada vez con menos ganas de escucharlo.

—Fue entonces que encendí tu computadora, falsificando tu clave secreta y revisé tus *e-mails*; luego hasta me puse tu ropa, me masturbé en tu cama y oriné en tus perfumes —interrumpe su relato como para darme tiempo de asimilar el significado de sus acciones.

¿A dónde quería llegar?

Ahora toma asiento en mi *secretaire*. Su largo discurso me comienza a sonar como la aburrida ponencia de un escritor, hablando demasiado extensamente sobre su obra. Lo hubiera podido ser si no fuera que su único público está amordazado, pero no parecen importarle estos detalles.

—Te cuento esto porque de pronto lo tuve claro y comencé a reír con todas las ganas que me quedaban en el cuerpo —tose, y cuando reanuda su monólogo me parece más tranquilo.

—Hace años que quería darle un giro a mi trabajo literario, siempre respetuoso, delicado, tradicional. Estoy harto de ser "el niño bueno de la literatura francesa", como algún periodista me llamó. Además, tengo atracción por la maldad, por la mente laberíntica y los diversos caminos que el hombre escoge; aun el más justo, en un determinado momento se puede atrever a matar, por ejemplo.

¿Y si en verdad es un asesino?... Adelanto mis conclusiones, rindiéndome a la paranoia.

—Así que llevaba tiempo escribiendo una novela que no

podía concluir: el protagonista era un ser humano ejemplar, alguien que lleva una vida recta hasta que traspasa los parámetros de su ética y se convierte en criminal. Me documentaba con casos reales, estudiando las motivaciones de este personaje; para lo cual me asistía en ocasiones un psiquiatra experto en el tema. Llegaba así a transportarme a sus sentimientos, pensamientos, temores, explorando cada centímetro de sus posibilidades.

De pronto, me parece estúpido no haber visto el peligro en el cual me encuentro, no haber escapado cuando pude hacerlo. Agito mis piernas en un movimiento ruidoso, reprochándome a mí misma por haber sido tan ingenua.

—Y qué casualidad, lo vine a comprobar en carne propia: mi novia me dejaba por una mujer, hundiéndome en la tristeza y en el coraje, pues en ese momento creí que yo había provocado, aunque fuera en forma indirecta, ese desenlace. Y mi vecina, tú, sin tener razones concretas, ni pruebas fehacientes, me atribuía una supuesta capacidad homicida.

Se levanta y se viene a sentar en el extremo inferior de la cama y me comienza a sobar los pies entumecidos.

—Pero las coincidencias no existen, es el escritor quien va moldeando su vida al ritmo de sus escritos. Es él quien caracteriza a sus protagonistas, y los busca en la gente que lo rodea, dejándose encontrar por ellos, convirtiéndose en ellos.

Mientras Yves habla, la humedad penetra en mis vísceras: mi saliva lubrica mi garganta y mi sexo transpira un deseo angustiante.

—Después de haber entrado a tu casa, avancé mucho en mi escrito, como nunca antes; al protagonista lo tenía muy analizado y, a través de mis acciones, cada día estaba más cercano a él. Primero la sumisión, el acato de las reglas; después la impotencia, el odio, eran sus únicos fieles y, ahora, los míos. Me sentí tan identificado con él que a veces pienso poder llegar a lo más brutal, hasta el fondo de mi abismo —sin dejar de tocarme los pies, respira profundamente como si tomara fuerza para concluir su discurso, cuyo rumbo me aterraba.

—Podría matarte.

Sin levantarse se desliza a la parte superior de la cama, acercándose a mí. Su aliento llega a mi cara mientras sus manos toman el cordón de las cortinas. Al ver sus ojos trastornados, comienzo a temblar. Él, en cambio, intenta sonreír, me da un beso en la frente, y con voz casi imperceptible, dice:

—O enamorarme de ti —se pone de pie rápidamente, como si el que se hubiera espantado ahora fuera él—. En el fondo es casi lo mismo —dice entre dientes, como si no quisiera que yo lo oyera.

—Ya ves, un instante en verdad puede cambiarlo todo —fueron sus últimas palabras y, después de pronunciarlas, salió del departamento.

XXVI

La condena del libre albedrío
28 de agosto más tres días, 2002

Seis

Es difícil describir mi desesperación. Pasé horas sin comer, sin dormir, sin hablar, sin sentir. Tan sólo estaban el miedo, el coraje, las preguntas, la sangre, las lágrimas y la orina. Hubo un momento en el que se borraron los por qué, la razón, y me quedé sola con mi soledad, sin salida ni regreso posibles, ni siquiera el olvido.

Sé que la voy a recordar como la noche más larga de mi vida. Una noche que comenzó a las siete de la tarde y clareó muy entrado el día siguiente, y tal vez continúe en mis adentros para siempre. El juego había terminado: estaba en manos de un psicópata y yo era la única culpable de encontrarme allí.

Caí en un sopor sin nombre cuando Yves entró al cuarto.

—¡La terminé! ¡La maté! Por fin —exclamaba exaltado—. Perdón: se me olvidó venir a desatarte y llevarte al baño y darte de comer. Bueno, la verdad es que un poco de dieta no te venía mal —farfulla mientras me libera los pies—.

¡Acabé mi novela! Le faltan muchas correcciones, pero el primer bosquejo está listo. Estoy agotado. Lograste en tres días lo que yo no pude conseguir en tres años. Me diste la perspectiva de la víctima; pude imaginar la escena de la muerte. Todo gracias a tus reacciones.

Cuando termina de quitarme la cinta adhesiva de los labios, me abraza y me besa el cuello, la espalda, el pelo, mi boca cerrada.

—Estás furiosa, ¿verdad? Y tienes razón, pero no tuve alternativa. Necesitaba inspirarme en ti tal y como tú te habías inspirado en mí.

Mi cara lo sigue mientras camina sin rumbo a mi alrededor, con la cabeza nerviosa, a veces girando hacia mí, a veces viendo el suelo o la ventana.

—¡Ya sé! Castígame, pégame. Es más, amárrame, ahora me toca a mí —y me tiende las esposas que me acaba de quitar.

—Tú estás enfermo —digo al pararme de la cama, dejando en la sábana una enorme mancha roja.

Yves mira la sangre por un largo segundo antes de volverse hacia mí:

—¿Qué te pasó? ¿Te volviste a lastimar? —me pregunta alarmado, intentando acercarse.

—Tengo regla, pendejo, y no me toques —me dirijo a la tina, para lavarme con la manguera. Al hacerlo, los trazos de tinta escritos sobre mis piernas se escurren sin que nadie los haya leído. Me seco, me pongo un *Tampax*, calzones, mis *jeans* y una playera, lo poco que queda de mi ropa en el clóset. Él está alterado, como parece que le pasa cada vez que ve sangre. Cuando intuye que me voy, me toma de la muñeca. Al soltarme hago lo que el instinto me pide desde que tengo las manos libres: le doy un puñetazo en la cara, que me deja los nudillos adoloridos y las uñas encajadas en la palma de la mano aún convaleciente. Yves pierde el equilibrio y se desploma al suelo, el labio superior reventado. Por un segundo no sabe qué decir ni qué hacer; luego se toca la herida y mira por primera vez su sangre ensuciar las yemas de sus dedos. Podría ser éste un momento simbólico en el que él se enfrenta a su vulnerabilidad, en vez de continuar viendo la mía. Quién sabe. Sin esperar su reacción me alejo. Tomo mi bolsa con la mano izquierda, la derecha me duele demasiado, y salgo al pasillo. Me alcanza justo cuando estoy por subirme al elevador:

—No te vayas. ¿Ves?, por eso te amarré...

No escucho más porque me subo a la cabina, aprieto el botón negro con la señal luminosa de planta baja y se cierran las puertas. Afuera del edificio al fin respiro con más calma. No se me ocurre ningún sitio a dónde ir y me siento en una de las bancas de la explanada. Desde allí miro mis balcones y a Yves viéndome desde el quinto piso. Me está haciendo señas, cuando oigo una voz muy cerca de mí:

—¿*Mademoiselle?* —es Ahmed, que viene a sentarse a mi lado. Debe haber notado mi angustia porque esclarece su garganta y continúa con un tono más suave—. El otro día no pude darle esto —saca de su *backpack* mi agenda electrónica que hace tiempo ya ni recordaba—. Se le cayó en el Metro, pero no pude alcanzarla.

Le sonrío, me enseña a su vez sus encías amarillas y me ofrece hachís. Me sorprendo un poco pero no quiero ofenderlo y tomo uno de los diminutos paquetes de envoltura plateada que me pone en las manos, dándole las gracias.

—Son cuarenta, más la propina por lo de la *Palm.*

Saco de mi cartera un billete de cien euros que recibe con entusiasmo. Con mi agenda electrónica recuperada, observo a Ahmed alejarse, mientras pienso que debería de haber una fórmula para dosificar la imaginación. Y luego, ¿qué sería de mí? ¿A dónde voy a ir ahora mismo? Puedo hablarle a Carolina, que vive a la vuelta, pero no tengo ganas. Lo único que deseo realmente es regresar a casa a enfrentar al *cabrónhijodeputa* que ahora mismo está escribiendo con bilé, del otro lado de la ventana rota: "La más grande libertad es poder renunciar a ella".

Vuelvo. Al llegar al quinto piso, las puertas de ambos departamentos están abiertas, e Yves, sin pronunciar palabra, avanza hacia mí; cuando llega cerca, lo abrazo.

—No es enfermedad, es la imaginación —le susurro con un dejo maternal en un oído y añado—: Quiero que me abras el baúl que está en mi cuarto.

—¿Para qué? —me pregunta.

—No quiero seguir imaginándome cosas...

Yves se despega de mí sin palabras y entra a su departamento para salir de allí con un martillo. Ante mi gesto asustado dice:

—Perdí la llave.

Lo sigo hasta mi habitación donde con un golpe destroza la tapa. Me asomo y miro el contenido, comprendiendo al fin lo innecesario que resulta saberlo todo: el baúl contiene libros.

Con mi boca rozo su labio lastimado; tengo la impresión de que él también se ha percatado de lo inútil que es esconderse frente a alguien tan similar. Miro la cama fétida y lo jalo de la mano. Él me sigue, mientras lo voy llevando entre besos, mordidas, rasguños y otras muestras de afecto a su departamento. Allí, continuamos besándonos, lamiéndonos y hasta nos reímos antes de acabar en la cama de su cuarto, su pecho contra mi espalda. Estoy tan excitada por los ardientes preliminares, que apenas me doy cuenta de cuando sus dedos abren mi orificio anal para introducir su sexo. Un dolor placentero, inmundo e invasor, me recorre desfachatado. Es la primera vez que soy penetrada de esa forma y creo que es gracias a la impotencia que me provoca esa intrusión física, ese rendirse a un adversario más poderoso, que comienzo a entenderme, y a las incógnitas que me había negado a aceptar. Por un instante tengo el fugaz presentimiento de que uno pasa la mitad de su vida preguntándose por qué es tan diferente a su padre, y la otra mitad averiguando por qué es tan similar. Escurro placer y, al fin, todo razonamiento me abandona.

Permanecemos abrazados, sangre contra semen, sin plásticos que los separen. Amén del placer mutuo, éste ya no es un acto sexual, sino de fe. Empiezo a sentirme como un perro con correa, que se ha encariñando con su amo, al grado de que, cuando éste lo suelta, se queda con él, pues aprendió a vivir así, como si esa pertenencia fuera parte de un plan infinito que no está a su alcance modificar. O más bien, comienzo a comprender las razones de nuestro deschavetado comportamiento que, en el fondo, sólo anhelaba acercar a dos seres que, a través de los actos más extraños, se comunicaban las ideas más simples: él no quería ser abandonado, y yo deseaba a alguien que me atara a otra existencia, ser finalmente subyugada por una fuerza superior a mí misma.

Al verlo dormido, tengo la certeza de que, en algún momento, Yves pensó en aniquilarme. Presiento que al verme indefensa moderó, no sólo sus sentimientos hacia mí, sino hacia todo el género femenino, pero también hacia el sufrimiento ajeno, y logró equilibrar el placer que el dolor de los otros le producía. Por mi parte, yo sólo puedo agradecer haber estado amarrada; de otra forma habría huido, más temerosa del amor que de la idea de perder la vida.

A pesar del cansancio no puedo dormir y de pronto siento miedo. Miedo a que se vaya. Me paro, con el objetivo de ocuparme en algo que me canse y luego poder dormir. Regreso a mi departamento y, mientras estoy quitando las sábanas sucias, mi vista se posa sobre las esposas con las cuales he estado atada. Las tomo y vuelvo al cuarto de Yves. Sin despertarlo le amarro una de sus manos a la columna de madera que conforma la cama. Duerme tan profundamente que ni cuenta se da. Luego me acurruco a su lado, tocando sus nalgas con las mías, las plantas de mis pies en las suyas. Así logro dormirme, convencida ya de que el libre albedrío es la única cruz que carga el ser humano.

El abismo

En verdad os digo que hay que seguir teniendo un caos dentro de sí
para ser capaz de parir una estrella rutilante.
Y en verdad os digo que vosotros tenéis todavía un caos en vuestro interior.
Pero ¡ay!, llegará un día en que el hombre ya no podrá parir estrellas.
Llegará ¡ay!, el día del hombre más despreciable:
el hombre que ya no es capaz de despreciarse a sí mismo.
Así habló Zaratustra, Friedrich Nietzsche

Si voy al paraíso, llevaré mis infiernos.
Villa Sigurtá, **Valeggio sul Mincio, Verona, Italia**

XXVII

Crónica de un crimen
1 de septiembre, 2002

Mi sueño no dura mucho. Ha trascurrido una escasa media hora cuando vuelven a empezar mis ansias. Me levanto. Empiezo a curiosear por el departamento, deseando sentirme, cada vez más, parte de ese novedoso universo. Entro al estudio de Yves y observo minuciosamente las fotos de Diana, me tropiezo con el diccionario *Robert* tirado en el piso y con las miles de hojas desparramadas que rodean el escritorio. En la impresora encuentro el borrador de su novela: *Yo la maté*. Perturbada por el título, tomo asiento en la moderna silla ergonómica frente a su computadora y comienzo a leer. Una tras otra recorro las hojas sin poder detenerme.

Geraud Lecerf, un doctor francés radicado en Nueva York, es el protagonista de un triángulo amoroso con Daisy, su novia, y una lesbiana que podía haberse llamado Peter. Esta última, confundida por sus repentinos deseos por otra mujer, se aleja en forma paulatina de su enamorado, quien

comienza a maltratarla físicamente, hasta que en un arrebato, la estrangula con el cordón de las cortinas.

Desde el primer capítulo, mi angustia es tal que no logro
permanecer quieta en el asiento y me reacomodo infinidad
de veces sin dejar por eso un instante la lectura.

El asesino sustrae el cuerpo de la víctima del departamento en donde vivían, en *Gramercy Park*. El servicial *doorman* lo
ayuda a cargar el baúl que arrastra hasta su auto, un antiguo *Packard*, después de lo cual lo tira al río *Hudson* y se au-
toenvía la llave en una carta en blanco con papel membre-
tado de la occisa, para despistar así a la vecina que sospecha
del crimen y lo vigila de continuo. Al sentirse acorralado
por ella, la seduce, la secuestra y logra convencerla de su
inocencia. Al cabo de varios años, nadie lo descubre, ni siquiera su implacable remordimiento.

Al terminar de leer, mi mirada se queda fija en la última
hoja y recuerdo uno a uno los tantos datos particulares que
me confirman que toda esa historia podría haber sucedido
y seguir sucediendo, tal y como Yves la narró. Su relato es
tan vívido que me parece haber leído una crónica en vez de
una novela.

Regreso a la habitación, él continúa profundamente dormido. Me siento en la cama a su lado y lo contemplo, sin
querer identificar la verdad contenida en sus mentiras.
Sin querer distinguir el confín entre la ficción y su persona. Sin desear saber cuánto le había de divertir hacerle
creer al mundo las invenciones con las que replantea la rea-

lidad. ¿Y no es ésa la gracia de un escritor? Yo misma había intentado partir de sucesos reales para escribir mi novela. ¿No tenía él igual derecho que yo de inspirarse en mí tal y como yo había pretendido hacerlo en él? Suspiré, deseando creer en mis palabras, y mi larga exhalación amenazó con despertarlo. Sin percatarse de la mano atada giró su cuerpo hasta quedar boca abajo. Su olor me llegó al olfato. Lo aspiré y cerré los ojos por un breve momento. No, no me iba a engañar ahora. Yves mató a Diana. Y por eso había escrito una novela en la cual, no sólo se justificaba ante sí mismo, intentando así librarse de sus culpas, sino que, de paso, se creaba un alibi. ¿Quién creería que sus personajes habían actuado según un guión preescrito? La única con los suficientes elementos para descubrir su crimen era yo. Lo cual significaba que entre sus planes estaba convencerme de su inocencia o tal vez simplemente matarme. De pronto la cercanía de su cuerpo me asusta y, guiada por un instinto de supervivencia, me pongo de pie. Al hacerlo jalo, sin querer, la sábana que lo cubre. Él continúa dormido.

Intentando hacer el menor ruido posible, me introduzco en el clóset. Tomo del maletín de cuero una de las escopetas y me cercioro de que esté cargada. Con mis ojos ya acostumbrados a la penumbra voy a sentarme en el sillón frente a la cama y apoyo el arma entre los cojines. Permanezco así un rato largo, hasta que él comienza a moverse. Cuando intenta pararse se da cuenta de que está amarrado y grita en la oscuridad:

—Bárbara, Báaaarbara.

—Aquí estoy —contesto con algo de tristeza en mi voz pausada.

—Me amarraste —dice sin alcanzar a verme —. Eres una traviesa. Ven...

—Me mentiste —digo concisa, sin alterar mi tono de voz.

—No sé a qué te refieres, pero tengo que avisarte que miento constantemente.

—Leí tu novela —proclamo, sin dejarme contagiar por su sentido del humor.

—¿Ves?, mentir es mi oficio, hasta me pagan por eso.

—Mataste a Diana.

—El doctor Lecerf mató a Daisy —dice casi riéndose.

—Y tú mataste a Diana —afirmo con toda seriedad.

—Es una novela —continúa como si con sólo pronunciar esa frase fuera suficiente para disculpar cualquier aberración.

—Una novela que sólo podrás publicar si yo no te acuso.

—¿De qué me vas a acusar? ¿De estar enamorándome de ti? —se carcajea.

—¿Te estás enamorando de mí? —pregunto escéptica, tocando la escopeta, como para constatar que el arma está a mi lado.

—Y tú de mí, y por eso tienes miedo.

—Ahora resulta que por amor tendría que dejarme matar.

—No seas trágica. Aunque en el amor un poco de destrucción es inevitable.

—Tienes razón. Tengo miedo. Miedo de infectarme. Después de todo, el amor es una enfermedad tan contagiosa que hasta podría lograr que tú dejes de refugiarte en tus culpas y yo en el desvarío.

—Y hasta podríamos ser felices...

—Podríamos por un breve período. ¿Pero sabes qué pasaría después? Nuestro amor se terminaría. Una enfermedad común siempre tiende a la cura. ¿Y sabes qué sería de mí entonces?

—Por una vez deja tu macabra imaginación a un lado.

—La dejaría para siempre y por eso me marchitaría. Sin volver a bailar en el balcón, ni tejer tramas con las vidas de mis vecinos, ni desear a un hombre, ni a una mujer.

—¿Por qué no usas la imaginación para escribir, en vez de torturarte con ella?

—No volvería a escribir. Mis ansiedades quedarían ahogadas en la comodidad, demasiado cuerdas para ser creativas.

—No tienes que vivir todo lo que escribes. Ni creer en todo lo que inventas, ni en lo que inventan los demás.

—No te contradigas. ¿Cómo puedes pedirme que crea en el amor sin la fantasía? ¿No te das cuenta de que el amor no es más que una invención del que está amando?

—La realidad puede superar a la fantasía.

—La realidad es que mataste a Diana y que puedes matarme a mí también. No tengo otra opción —me pongo de pie y con las dos manos sostengo la escopeta. Yves se percata del arma apenas ahora porque por primera vez su voz se tiñe de pánico.

—¡¡¡Espera!!! Soy inocente.

—No importa. Le estoy concediendo a nuestro amor la única posibilidad que tiene.

—Llama a Diana... Toma el teléfono —me ruega en un acto desesperado, mientras que con la mano libre jala el aparato y con la otra intenta librarse de las esposas. En una fracción de segundo decido no tomar más riesgos. Aprieto el gatillo. Un disparo retumba en la habitación.

TERCERA PARTE
La fantasía

Nada más erróneo que la idea, demasiado extendida,
de que el poeta trabaja sin cesar la fantasía, que inventa
sin pausa aconteceres e historias a partir de un filón inagotable.
En realidad, en vez de inventarlos,
no tiene más que dejarse encontrar por personajes y acontecimientos.
***La piedad peligrosa**, Stefan Zweig*

Al rescate de la verdad más verdadera: la mía.
Leomar, surcando alguna ola del agua más *azur* del Mediterráneo

XXVIII

Visiones alucinógenas
28 de abril, 2002

Al ver el cuerpo de Yves sin vida, lloraría. Una enorme tristeza se abatiría sobre mí y, en ese momento, tendría la impelente e impostergable necesidad de escribir. Narrar todo tal y como había sucedido. De todas formas, la percepción de una persona distorsiona lo suficiente los hechos para que pasen al rubro de ficción. Sentiría entonces la urgencia de ser escritora, ese llamado interno que había sentido en tantas ocasiones sin atreverme a llevarlo a las últimas consecuencias, y sabría que para lograrlo no podría guardar ni siquiera una mínima intimidad. No importaría cuántas mentiras tendría que escribir en el proceso; al final haría falta presentarme desnuda, más vulnerable y expuesta de lo que los demás son capaces.

Me levantaría de mi escritorio, es tan difícil terminar una historia. Iría a la cocina para prepararme un té, *Lapsang Souchong*. ¿Por qué ciertos hábitos no cambian y otros se alteran tanto? Regresaría a sentarme frente a la computadora y perdería la mirada en los techos, la dejaría acariciar a Montmartre antes de volverla al piso. Nada sería distinto y todo lo sería. Afuera de la ventana los tinacos de Tacubaya me mirarían sin entenderme, el empedrado de la plaza se mojaría con la primera lluvia, las buganvilias me sonreirían y yo, en mi bata japonesa, sentiría las ojeras de los desvelos y los días de encierro pesar bajo mis ojos.

Al concluir mi escrito, las preguntas que flotarían en el aire conllevarían siempre el hubiera. Hoy sólo sé que, de todos los sitios donde estuve, de tantas historias comenzadas, en cualquier lugar que me encontrara ahora, me preguntaría lo mismo. No habría forma de sustraerse a la duda, a la nostalgia de saber que cualquier camino que hubiera escogido o que escoja en este momento, pronto me llevaría al mismo lugar, a pensar en el que no seguí, el que todo pudo cambiarlo.

Ring, ring, ring.

Tendría un instante de lucidez y sentiría la fuerza de mi amor, de todos el más duradero, el más fiel: la literatura y, con ella, la imaginación, ese mundo sin límites con el que combato la realidad.

Ring, ring, ring.

Contestaría el teléfono inalámbrico:

—¿Sí?

—¿Claudia?

—*¡Claudia!*

—Sí, soy yo, ¿quién habla?

—Ángela, de la agencia de viajes. Estoy por mandarte el boleto y sólo quería confirmar tus datos de viaje: sales el primero de mayo a las dos y media en el vuelo número 5 de Aeroméxico, llegando a París el día 2 a las siete quince de la mañana.

—Ángela, ¿me puedes hacer un favor?

—Sí, claro.

—Cancela.

—¿Qué dices?

—Cancela, por favor.

¿Cómo explicarle a mi agente de viajes que al fin entendí que nada necesita ser verdadero para poder creer en ello?

—¿Estás segura? —me diría extrañada.

—*¡Claaudiaa!*

¿Cómo estar segura? ¿Cómo saber si no me escondo en tantas aventuras, viajes, relaciones, muertes, duelos, excusas, incluyendo el amor al cual me consagro ahora, sólo para evitar creer en lo más difícil: en el Otro.

—*¡Claudiaaaa!*

No en esa masa informe de personas que siempre me rodea, sino en aquello, como quiera que se llame, que a pesar de verlo reflejarse y reflejado, a pesar del deseo, del amor, y hasta de su poder para transformarme, ¿nunca estará a mi alcance?

—*¡Claaaaudiaaaa!*

Después de poner punto final, iría a mi recámara, pues de allí vienen los gritos. Me detendría en el umbral de la puerta. Él me miraría desde la cama, para luego decirme:

—¿Desamárrame, no?

La verdad

TRÁGICO ACCIDENTE EN NEUILLY SUR SEINE.

Dos Baton Mouche *colisionan dejando un saldo de tres muertos.*

... Durante la operación de rescate, el equipo de buceadores
extrajo de las aguas del río, un baúl,
dentro del cual se encontró el cuerpo en descomposición,
aparentemente de una mujer,
cuya identidad es al momento desconocida...

***Le Figaró**, París*
***Los Inválidos,** Claudia Marcucetti*

FIN

París, febrero 2004
México, marzo-diciembre 2004
****

Quien dice la verdad, casi no dice nada.
Voces reunidas, **Antonio Porchia**

ESTA EDICIÓN SE TERMINÓ DE IMPRIMIR
EL 14 DE SEPTIEMBRE DE 2005 EN
LITOGRÁFICA TAURO, S.A.
ANDRÉS MOLINA ENRÍQUEZ No. 4428
COLONIA VIADUCTO PIEDAD
08200, MÉXICO, D.F.